12.95

POLITIQUE DE LA CULTURE 1

POUR UNE POLITIQUE DE LA CULTURE

PIERRE EMMANUEL
DE L'ACADÉMIE FRANÇAISE

POUR UNE POLITIQUE DE LA CULTURE

ÉDITIONS DU SEUIL
*27, rue Jacob, Paris VIe*

A PAUL TEITGEN
MICHEL ROUX
AUGUSTIN GIRARD

Si un homme se promène dans les bois la moitié du jour et chaque jour parce qu'il adore les bois, il risque d'être regardé comme un fainéant. Mais s'il s'emploie la journée entière à raser ces bois en qualité de spéculateur, à rendre la Terre chauve et nue avant son heure, on le tient pour citoyen actif et entreprenant.

Henry Thoreau.

Tout votre effort intellectuel consiste à trembler devant l'avenir. Imaginez autre chose !

Gustave Flaubert.

AVANT-PROPOS D'UN ACADÉMICIEN

L'origine de ce livre est un geste « politiquement » absurde : en août 1969, un ministre demandait à un poète de présider une commission du VIe Plan. Le ministre était Edmond Michelet ; la commission, celle des Affaires culturelles ; le poète, celui qui vous parle.

Michelet était un de ces hommes qui ont payé cher le droit d'être homme, et ses actes publics n'ont tendu qu'à faire reconnaître ce droit comme le droit de tous. Ce droit, il l'avait toujours considéré essentiellement comme un service. Mot qui n'est guère à la mode, mais le redeviendra. Servir est une activité créatrice : peut-être celle qui, pour diverses que soient les tâches, maintient dans l'être une inébranlable unité. Unité, fidélité à ce que l'on sert — qui peut être l'homme. Certains hommes ont l'autorité qu'il faut pour appeler à servir l'homme. Ceux qui ont connu Michelet savent qu'il était de ceux-là. On ne disait pas non à Michelet quand il demandait un service.

Pourtant il ne m'aurait pas confié cette présidence si je n'avais été de l'Académie. Cette logique d'Etablissement vaut une explication qui en éclairera d'autres.

L'Académie, dont une des fonctions principales est de persévérer dans son être, serait déjà une institution très considérable du seul fait d'y être jusqu'ici parvenue. Elle y réussit à la fois en dépit et à cause de la diversité de ses membres, qui ont les tempéraments, les talents, les activités et les principes les plus variés. Ils se choisissent selon les critères de conformité propres à une société bourgeoise, mais que tempèrent et parfois contredisent les caprices du hasard. En fait, la seule vraie conformité de ses membres, c'est qu'ils sont de l'Académie. Ils croient en elle parce qu'ils en sont : ce qui veut dire qu'à peine en sont-ils, ils se sentent en être de fondation. Telle est la force de l'institution au-dedans : au-dehors, cette cohésion presque magique suscite des réactions contradictoires. Pour qui vénère les valeurs établies, elle est le symbole de leur conservation ; pour qui rêve de les jeter bas, elle est celui de leur conservatisme. Jugements diamétralement opposés qui fortifient également la Compagnie.

Que ne fait celle-ci pour ses élus ! En y entrant, l'académicien tout neuf pénètre non tout à fait dans la sphère officielle, mais dans le mirage de celle-ci. Il existe entre cette sphère et son mirage un jeu subtil de rapports qu'il convient d'apprendre pour s'en servir à l'occasion, sans illusions sur leur importance réelle. Cet apprentissage, pour le nouveau, l'est aussi de son personnage. Contrairement à une idée répandue, un académicien n'est vraiment à l'aise dans son personnage que quand il a cessé de le prendre au sérieux, ce qui vient immanquablement assez vite.

Car, sitôt élu, il se voit *être* soudain aux yeux de gens qui hier ignoraient qu'il existât et qui d'ailleurs ne liront jamais de lui une ligne ; tandis que pour d'autres qui ne l'ont pas lu davantage mais que naguère son existence gênait, il a enfin tout à fait cessé d'être. Il apprend que tel poète excellent recevrait avec fierté le Grand Prix national des Lettres décerné par un jury composé surtout d'académiciens, mais refuserait non moins fièrement le Grand Prix de Littérature voté au sein de l'Académie elle-même. Il se fait ainsi confortablement à l'idée que, selon l'angle de vue, la renommée de l'Académie est inaltérable ou son discrédit congénital. Le sentiment naît en lui qu'il est désormais merveilleusement libre. Libre de l'avant-garde, de l'arrière-garde, du gros des troupes, voltigeur, pourquoi pas franc-tireur ? Les occasions de s'en donner la preuve ne se refuseront pas à lui.

L'Etat, qui n'a que faire de l'Académie bien qu'elle soit un de ses premiers Corps, s'en sert pourtant comme d'un résidu de prestige en ce pays où l'uniforme se fait rare et se porte de moins en moins. Il est donc fait appel à ses membres, au même titre qu'à des ambassadeurs en retraite, pour siéger en divers conseils ou présider jurys et commissions. Mais rien n'empêche un personnage décoratif d'être mis à la tâche par celui qui est censé le jouer. Ainsi se confirme ce que notre académicien savait déjà avant de l'être, et qui peut-être lui souffla de le devenir : l'Académie, laquelle est une fin dans son ordre, est en d'autres un moyen pour qui se sert du jeu qu'elle permet dans le système dont elle fait partie. Notre homme passe alors en se jouant du mirage officiel dans la sphère officielle, où il entre un peu comme en scène, en se gardant de croire y entrer.

Pourquoi se donner tant de peine ? Eh ! pour arriver. Arriver : parvenir à un point d'où il soit possible d'aider à ce qu'arrive une chose essentielle. A un point où se faire entendre de ceux qui pourraient promouvoir un projet qui n'appartient pas à qui le sert, l'eût-il imaginé lui-même, et qui est potentiellement le projet et le bien de tous. Nul ne peut vraiment y arriver qu'en se gardant d'être un homme *arrivé ;* qu'en étant assuré de n'être rien et que c'est là sa force.

Sur son siège de président, cet académicien est l'anonyme, le premier venu : il est seul d'abord à se savoir tel, en attendant que d'autres le sentent, qui de ce fait lui fassent confiance et acquièrent confiance en eux. Il est, il veut être, il est constamment attentif à être, le premier *homme* venu, un premier venu qui croit à l'homme. Sa chance, qu'il prend comme elle arrive et qui peut-être lui échappera demain, est d'être aujourd'hui en mesure de dire tout haut, à contretemps ou à point nommé, en des lieux où rarement on les profère mais où certains ne les ignorent pas, des réalités simples et insolites. C'est pour cela qu'il accepte d'entrer dans le jeu : avec une égalité de respect pour des gens très différents de lui, dont l'expérience élargit la sienne, lui enseigne des résistances, lui ouvre des voies, il va tenter patiemment de modifier les règles de ce jeu, pour qu'il cesse d'être le jeu de quelques-uns et devienne le jeu de l'homme. Pour que le système devienne une Cité.

Voilà qui choque maint intellectuel dans sa pureté cathare. Sans nullement la partager, je peux comprendre cette ambition de pureté, et son désespoir. Je m'expliquerai, le moment venu, sur ce que je crois être le malheur présent de l'intelligence. En ce qu'il lui reste de créateur, celle-ci est de plus en plus exilée d'un monde qu'elle a mis elle-même en système avec une rigueur d'abstraction que nulle autre civilisation n'avait connue. Ce monde, son œuvre, est devenu pour elle le diable. Détruire ce monde, ce système, ce diable, lui semble la seule issue à son malheur. Mais, sans se l'avouer, elle sait que le diable est en elle : qu'à partir de la table rase, sa part diabolique peut bâtir un système qu'elle voudra plus libre, et fera plus abstrait encore et plus dur. D'où le suspens de l'avenir planétaire entre anarchie et tyrannie. D'où le fanatisme toujours, et déjà l'universelle détresse.

Je rejette pour ma part l'un et l'autre. J'ai choisi non de consolider un système, mais de le transformer du dedans. Je l'accepte dans la mesure où sa cohésion reste nécessaire à l'existence de ces multitudes qu'il a fait croître, qu'il a conditionnées et placées sous sa dépendance parfois absolue. Mais ce conditionnement, cette dépendance, je suis de ceux qui veulent travailler à les briser, au spirituel et au social. La seule façon d'y parvenir sans tomber dans une aliénation nouvelle est de susciter, à l'intérieur du système, des formes nouvelles d'association. De proche en proche, ces groupements solidaires le métamorphoseront en une authentique Cité terrestre, sans anéantir les richesses d'intelligence investies en lui ; sans étêter non plus de son audace le projet que le système a rendu babélien faute de le garder humainement homogène. Homogène, c'est-à-dire à la mesure, dans sa totalité et ses parties, des communautés différenciées dont l'ensemble devrait constituer l'Etat.

Pour passer du présent Etat omnivore — dont la variante totalitaire aggravée enchante de moins en moins ses victimes de l'espoir de son dépérissement — à une coopération populaire décentralisée et d'autant plus convergente, il faut un large accord de tous ceux qui, définissant réciproquement leurs capacités, triant ensemble leurs idées, dégageant celles qui leur sont communes, cherchent dès aujourd'hui à s'interpénétrer socialement, à s'instruire les uns les autres de ce qu'ils savent chacun pour soi de façon jusqu'ici stérile. Ces coopérateurs éventuels, on les trouve partout, et, pour être des gens qui pensent, ce ne sont pas tous des intellectuels ; quand ils le sont, l'idéologie cède chez eux à la pratique. Il leur reste à découvrir ensemble quelle source d'enrichissement ils sont chacun pour les autres, quand ils s'unissent pour épanouir leur personnalité et mettre en partage leurs compétences, qui cessent dès lors d'être des « spécialités » étanches pour devenir des vases communicants.

Ce petit livre de circonstance est une modeste contribution à ce que j'oserai, tout académicien que je dois être, nommer dans le jargon de l'époque *la dynamique* de la communauté. Bien que mes nombreuses définitions de la culture, définitions *en étoile,* ne fassent pas la preuve de mes dons pour les travaux du dictionnaire, mon but serait atteint si elles montraient que la culture n'est pas une notion éclatée, mais une Idée rayonnante à partir d'un centre, et que ce centre est en chacun.

LE PROJET CULTUREL DU VIe PLAN

UNE NOTION PEU FAMILIÈRE

En 1969, la commission des Affaires culturelles était, je l'ai dit, sans grande importance politique dans l'élaboration d'ensemble du Plan. Le ministère n'était d'Etat que pour honorer les illustres compagnons qui en eurent d'abord la charge : Malraux et Michelet. Leur successeur Jacques Duhamel est ministre tout court, sans particule. Le budget des Affaires culturelles est si mince que l'O.R.T.F., financièrement, a un pouvoir cinq fois plus fort. Un ministre gérant un si petit budget a le plus grand mal à défendre le sérieux de son action auprès des gens sérieux des Finances, aux yeux desquels la culture n'est qu'une pièce rapportée dans le projet économique et social.

Qu'est-ce d'ailleurs que la culture ? Ce mot, depuis la dernière guerre surtout, est pris de moins en moins dans son sens traditionnel, lié à l'adjectif *générale*. La culture générale, on sait ce que c'est : quelque chose de précis, de rassurant, de scolaire : un bagage, un acquis. Mais culture tout court ? C'est là une notion mal définie, à la fois insaisissable et extensible, pour certains une chimère politique, pour d'autres un déguisement redoutable de l'idéologie. L'Allemagne nazie eut un ministère de la Culture, l'Union soviétique en a un. Que l'Etat s'intéresse à la culture paraît louche : l'Etat, c'est la providence, mais aussi l'ordre, voire l'Ordre moral. Ses adversaires, du moment qu'ils ne sont pas au pouvoir, lui prêtent largement des intentions totalitaires.

Mais le mot « culture » n'a pas meilleure presse chez les partisans du régime actuel. La culture, cette entité insidieuse, est une manière de virus dont la propagation est planétaire. L'adjectif culturel, étant donné ses mauvaises fréquentations, semble stimuler ce virus (cf. la révolution culturelle, Mao, mai 68, les gauchistes, voire les hippies). Quelle inspiration — beaucoup pensent : quelle aberration — poussa de Gaulle à fonder un ministère des Affaires culturelles ? Malraux réalisait-il ainsi, par Symbole interposé, le rêve d'un humanisme populaire, qu'il partageait avec quelques autres il y a quarante ans ? Le résultat le plus clair, avec le blanchiment de Paris, ce sont, disent les malveillants, ces fameuses maisons de la culture, qu'à gauche comme à droite on tient pour des foyers de contestation, la gauche pour s'en réjouir tout en criant que le gouvernement les étouffe, la droite pour s'indigner de ce que le gouvernement les entretient. Nombreux ceux qui regrettent, pour la clarté de la pensée comme pour la simplicité des opérations budgétaires, l'heureuse époque du secrétariat aux Beaux-Arts !

C'est assez dire que tout indéfinissable qu'elle paraît, la notion de culture est politique[1] : ou plutôt qu'elle semble indéfinissable, équivoque, utopique et pleine de dangers, *du seul fait* qu'on n'en voit pas ou qu'on en refuse la dimension vraie dans la cité, la réalité politique globale. Aveuglement et refus compréhensibles, car ils sont dans la logique du développement de la notion qu'ils excluent. Une acception neuve de la culture, acception politique au sens noble, intégratrice de la vie sociale en ce qu'elle a de plus haut, est en train de germer en quelque sorte au-dedans des individus et du corps total de leurs activités solidaires. Or au moment d'atteindre un nouveau seuil de conscience, donc de progrès, qui approprie le technique à l'humain, se manifestent chez des gens d'opinions opposées des blocages convergents de tout ordre. Littéralement, on ne voit pas où l'on veut en venir.

1. Politique : un mot à réhabiliter. Aux lecteurs qui ne le conçoivent que dévalorisé, ce livre paraîtra peu compréhensible.

Et de se plaindre à tous échos de l'absence de finalité sociale, à ce moment même où la possibilité d'une finalité réelle, à la mesure des moyens modernes de l'homme, s'ébauche dans les esprits et dans les faits.

Pratiquement, sous l'euphémisme « Affaires culturelles », voilà donc la culture à l'ordre du jour du VIe Plan. Ou, pour être exact et complet, du VIe Plan de développement économique et social, valable pour les cinq années à venir. Qu'est le Plan ? L'avant-propos de son projet nous le dit : un diagnostic de situation, une analyse de problèmes, le dégagement de leurs solutions possibles, un cadre de référence pour la politique du gouvernement et l'activité des Français. Participent à son élaboration, bénévolement, des milliers de personnes dans des commissions, des comités, des groupes et intergroupes : concertation longue et minutieuse, que le public ignore, et qui dure près de deux ans.

Le Plan définit une ambition nationale et les choix fondamentaux de celle-ci. Comme le dit excellemment le projet : « Ses grandes orientations, la nature et la hiérarchie de ses objectifs, l'ampleur et la répartition de l'effort à accomplir pour les atteindre, dépendent d'abord de l'idée qu'on se fait de l'avenir de la France, de son devoir social, de sa place dans le monde, des finalités qu'il convient d'assigner à son développement... Assurer à la France la maîtrise de son destin, renforcer la démocratie dans notre société et répondre à la volonté de mieux vivre des Français, telles sont les fins permanentes de notre développement économique et social. »

Ces mots, pour n'être pas que de grands mots, doivent tous recevoir un contenu. Un vocable les domine : France. Il signifie l'ensemble de nos solidarités. Il embrasse les plus modestes préoccupations comme les aspirations les plus hautes, quand même celles-ci ne sont portées que de quelques-uns. L'idée de la France est une idée collective dont chacun participe et qu'il contribue à former. Le « devoir social » de la France est le nôtre à chacun et à tous. Sa place dans le monde dépend de notre volonté d'être, collective et personnelle.

L'insistance avec laquelle je souligne ces *grands* mots ne plaira pas à tous mes lecteurs. Qu'importe ! Il faut bien rappeler ce que nous oublions chaque jour, que la patrie est un projet commun, une création continue de nos efforts solidaires : qu'elle est non pas une somme de hasards, mais l'intégrale d'une innombrable pensée. En dépit de nos divergences, la même réalité nous coordonne, que nous soyons conscients d'elle ou non. On peut y croire sans en être conscient, mais qui cesse d'y croire cesse d'être Français. Bien des Français parmi les plus chauvins ont en pratique cessé d'y croire, et leur âpreté, qui entrave le développement social, est une offense à notre foi anonyme, *au pays*. Une autre catégorie de profiteurs ne sont guère moins méprisables : ce sont les apatrides de l'intérieur, les universalistes de pacotille, parasites de la solidarité nationale dont ils exigent tout sans l'aider en rien. Etre ensemble est une immense opération, une orchestration infiniment complexe, dont le chef invisible est la conviction partagée que cet ensemble existe, qu'il a un sens à travers l'histoire, qu'il nous faut y être attentifs afin qu'il ne se relâche pas, et que cette attention à plusieurs hauteurs a des synonymes qui sont liberté, démocratie, justice sociale, humanité. Le plus grave désastre qui puisse menacer un peuple n'est pas l'anéantissement militaire, c'est l'indifférence de ses membres à la forme de son avenir.

Or l'introduction au rapport général du VIe Plan dit en une phrase à quelle condition cet avenir prendra forme : « L'effort à entreprendre pour assurer le développement de notre économie n'emportera l'assentiment de tous les partenaires sociaux et ne trouvera sa pleine signification que s'il *répond à la volonté de mieux vivre des Français.* » Ces derniers mots sont soulignés dans le texte : ils le méritent. Il n'est pas exagéré de dire, si on leur donne tout leur sens, qu'ils définissent un projet culturel. Si on leur donne tout leur sens, comme le font les rédacteurs du projet : car ces quelques mots sont l'aboutissement d'une longue réflexion sur la vraie finalité sociale.

Non seulement la commission des Affaires culturelles a pris sa part de cette réflexion, mais elle a fortement contribué à l'orienter. Sans entrer dans le détail du film à épisodes que fut l'activité de la commission depuis novembre 1969, je voudrais montrer comment le concept d'une *politique globale de la culture* intégrée au développement d'ensemble du pays et lui donnant sa plus haute signification, s'est substitué à la notion d'*affaires culturelles,* notion fragmentée, sectorielle, coiffant de manière arbitraire des activités presque uniquement artistiques ou liées à l'art, gérées chacune séparément et tenues toutes pour marginales et comme surérogatoires par rapport aux fonctions *utiles* à la nation. Le seul fait qu'il ait pu être imaginé que cette politique globale doit être un *aimant* pour le pays entier est un acte de pensée considérable. Un changement irréversible est introduit, à condition que cette pensée ne meure pas dans l'œuf de la rhétorique, mais soit maintenue présente et vivante, et que la perspective qu'elle ouvre à long terme soit jalonnée à court terme de réalisations. Faute de quoi, de la générosité de l'idée, il ne resterait bientôt qu'une de ces expressions-alibis dont l'hypocrisie politicienne est prodigue.

J'ai tenté plus haut de faire entendre que cette idée même, bien qu'elle existe et que son champ soit définissable, est encore toute à créer et que la politique de la culture est justement cette création. En fait, cette création est peut-être une forme nouvelle, la forme future, de la vie politique : non point, pour citer Clausewitz par antiphrase, la politique poursuivie par d'autres moyens, mais la politique élevée, *cultivée,* à des fins qui la dépassent ; politique au service des hommes tels qu'ils sont en même temps que des virtualités créatrices dans l'homme, assurant donc au plus grand nombre d'hommes possible, et à la société tout entière, les conditions de leur meilleur développement dans l'humain. Quoi que l'on pense du projet du VIe Plan et de sa terminologie, un embryon de cette idée s'y est greffé et commence d'y croître. Pour qu'il arrive à terme, combien d'actions séparément menées en divers domaines restent encore à coordonner !

Décloisonner est un néologisme à la mode dans le jargon administratif. Je ne l'ai jamais tant entendu, ni avec plus d'à-propos, que pendant les séances de la commission des Affaires culturelles. L'important à mes yeux serait de décloisonner non seulement les structures, mais aussi les esprits et les cœurs. En politique, cela prête à sourire. La culture, pourtant, c'est cette osmose sociale contre laquelle se défendent si fort les administrations et les partis, sans oublier les « partenaires » ou plutôt adversaires sociaux dont le Plan devrait être le concert. Pour tenter d'amorcer cette osmose, patiemment, à partir de ce qui est, il est bon de se répéter que ceux qui la refusent sont sur la défensive, et que rien ne commence en ce monde que par la foi.

UN PROJET PEU BUREAUCRATIQUE

> « ... *Je lui trouvai une mine de secrétariat, un maintien de protocole, un air de préfecture comme à un homme nourri aux administrations françaises — cette capacité bureaucratique me fit trembler.* » Chateaubriand.

La difficulté est que les Français consentent à croire : ce n'est pas — ou ce n'est plus — dans leur naturel. A cela, certes, il y a des raisons politiques. De plus en plus, les pouvoirs et la nation sont deux entités séparées, dont la première croît de l'anémie de l'autre. Il ne me paraît pas que cela tienne à la structure de notre société : cette séparation, ce vampirisme administratif, sont encore plus accentués dans les pays dits socialistes. Les sujets ne participent plus à l'Etat, qui les contrôle toujours davantage. De l'impuissance vient l'indifférence générale, aggravée par des formes particulièrement nocives de stultification.

On se rend mal compte, à cet égard, de l'extrême complexité des règlements, emplois du temps, horaires, rythmes artificiels, etc., qui enserrent notre existence et la « sécurisent ». Ces régularités, nous sommes conditionnés par elles depuis l'enfance, et, profondément, nous les désirons. Elles nous sont autant d'assurances contre le risque de l'imprévisible qui nous rendrait à l'antique peur. Pour la même raison, la sécurité de l'emploi est la revendication majeure des individus qui se prennent en *masses* pour se défendre de la solitude et du dénuement, ces extrêmes de la condition. Solidarité légitime, mais qui, poussée à la limite, exige de l'Etat qu'il soit providentiel. L'Etat providentiel, c'est l'Etat vampire, qui, prenant notre sang à tous, n'a jamais assez de sang pour tous. D'où le paradoxe que ceux qui exigent tant de l'Etat n'ont aucune foi en lui. L'anémie spirituelle de nos immenses sociétés avancées vient en somme de leur abondance même, qui croît moins vite que les concupiscences qu'elle engendre sans fin.

Pourquoi ces concupiscences ? En contrepartie d'une conception servile du travail. Nos sociétés occidentales, si fières de leur progrès industriel, ont fait du travail non une liberté, mais une chaîne. Longtemps l'usine ne fut guère mieux qu'une prison : de même l'école. En 1936, quand les ouvriers ont conquis le droit aux congés payés, l'essentiel de leur condition n'a pas changé, mais un clivage s'est produit, qui n'a fait que s'accentuer depuis, entre deux formes de *temps :* travail et loisir, temps servile et temps libre. Cassure dangereuse en soi, aggravée du fait que le temps libre allait devenir l'objet de la convoitise des marchands de loisirs, et, du coup, être aliéné autant que le temps servile par le système du profit. Subtilement, le loisir se changeait en une autre forme de travail à la chaîne. Une certaine idée métaphysique du travail comme Loi suprême triomphe même dans les longues files, pare-chocs contre pare-chocs, de voitures retour de week-end.

Il y a beau temps que notre durée n'a plus rien à faire avec le rythme des saisons. Nous, citadins, nos horaires sont réglés par une formidable machine à tout pointer, qui s'identifie de plus en plus avec la société même. Cette routine, renforcée par les habitudes que nous tenons des mass media, fait de nous de petites machines à travailler et à consommer, dont la « vie » devrait en principe tourner rond sans que nous y prenions de part active. La chose n'est pas entièrement possible, bien sûr. Chacun a en lui du réel qui lui est propre, ne serait-ce que la faculté de souffrir : mais cela même est refoulé, escamoté par la loi des grands nombres. On a pu croire, on croit encore peut-être, à l'uniformité, à la cohérence parfaites, du mécanisme post-industriel, lequel voue implicitement aux ténèbres extérieures tous les éléments qui, pour une raison quelconque, sont incapables ou n'acceptent pas de tourner en rond dans un système conçu pour tourner rond. En fait, s'il est à la rigueur possible d'admettre que, dans un immense corps social, la solidarité de ses éléments, pour jouer de façon automatique, doive s'articuler plus ou moins à la façon d'une machine, il convient d'être toujours conscient du danger que cette machine tourne à vide dès que l'éthique solidariste cesse d'être suffisamment perçue.

Dans une société où les corps intermédiaires ont disparu ou s'étiolent, la machine sociale est une hiérarchie de bureaux : mais la solidarité — ou l'animosité — des bureaux dérive peu de l'éthique solidariste. Inquiétante, peut-être irréversible tendance des sociétés techniquement avancées à se laisser dominer par des appareils bureaucratiques irresponsables, au personnel de plus en plus nombreux, de plus en plus inerte, assuré de la pérennité de l'emploi ! A l'Etat providentiel, omniscient, asymptote idéale de notre évolution travailliste, correspond une bureaucratie qui ne veut ni rien faire ni rien savoir.

Seule différence entre l'Etat dit socialiste et l'Etat dit capitaliste : le premier concentre en soi l'appareil de tous les appareils, tandis que le second, malgré sa puissance, n'est qu'un *primus inter pares,* qui peut se trouver en conflit avec une partie de lui-même, ou avec d'autres appareils contrôlant partiellement son personnel, donc ses bureaux. La solidarité des parties du corps social se réduit alors à un accord tacite et périlleux sur les limites « jusqu'où on peut aller trop loin » dans le chantage réciproque.

La guerre civile, tempérée par l'évaluation des risques de rupture globale, est permanente dans l'économie, capitaliste s'entend. Cette guerre, en dernier ressort, est politique, livrée pour ou contre une conception socialiste de la société. Mais qui la livre : les individus, pour défendre leur droit, ou les appareils, pour consolider leur pouvoir ? Et quelle conception de la société, socialiste ou autre, mérite, après ce demi-siècle d'histoire, l'effort de la promouvoir lucidement ?

Cette question n'est nullement rhétorique. C'est notre question à tous, et qui domine, voire tient en suspens, toutes les autres questions majeures, dont celle de la culture. Tant qu'elle est posée en termes d'antagonismes irréductibles, rien ne bougera, sinon vers l'effritement et la ruine. Il faudrait, ce me semble, la poser en termes de *modification.* Mon propos dans ce livre n'est pas politique : mais je ne doute pas que la culture est l'instrument d'une modification politique avant d'être l'une des formes de cette modification. Je ne doute pas non plus de l'effort que poursuivent, dans l'appareil de l'Etat comme en d'autres appareils partenaires et rivaux de celui-ci, des administrateurs, des techniciens, des syndicalistes, à la recherche d'un *pragmatisme* commun qui permettrait d'élaborer un contrat social réaliste, en dehors des dogmes de l'idéologie.

Que cet effort prenne de plus en plus d'importance est essentiel d'abord dans les ministères. Pour que la masse des fonctionnaires ne paralyse pas leur fonctionnement, il faut qu'elle se sente traversée, aimantée, par un réseau nerveux d'initiative [1]. Soit dit sans offenser personne, le cas n'est pas si fréquent : la machinerie est lente, les réflexes résistent à l'imagination ; le grand nombre est allergique aux personnalités singulières. Pourtant ce que j'entends ici par culture est entre autres le souci de régénérer constamment la forme sociale en vue de sa plus haute fin : d'inventer par exemple un système scolaire

1. Il est rare qu'un cabinet ministériel soit une véritable *équipe* animée d'un dessein commun. Et avant de la devenir, il lui faut le temps de se constituer, de s'éprouver.

meilleur, une animation répondant aux besoins des nouvelles cités satellites, des modes d'expression culturelle qui retiennent l'attention d'un public jusqu'alors indifférent. Si l'on ne croit pas possible une modification progressive des mentalités, c'est-à-dire des préjugés et des habitudes ; si l'on ne pense pas qu'elle puisse jamais se produire sans contrainte, par la formation de l'esprit critique et de la liberté, on ne peut être un vrai serviteur de l'Etat. Tout au plus sera-t-on un habile utilisateur de la circonstance dans une bureaucratie instinctivement timorée et immobiliste, qui prend pour l'Etat la complexité de ses routines.

Il est difficile, de l'extérieur, de comprendre le quant-à-soi qui souvent oppose, sur un terrain qui devrait leur être commun, différentes bureaucraties ministérielles. La structure de ce qu'il est convenu d'appeler Etat n'est pas simple, et le langage administratif n'aide guère à l'élucider. Ce qui apparaît en revanche assez vite, c'est la réalité de la solidarité bureaucratique : c'est une solidarité de caste. Presque toute la haute administration polyvalente sort des mêmes séminaires pour grands commis. Elle s'arroge, de ce fait, une supériorité de propriétaire, doublée d'une sorte d'orgueil initiatique, en ce qui touche les affaires de son département : ce sont toutes affaires d'Etat. Cette attitude, qui paraît rationnelle à tant de ses membres, parce qu'ils savent, ou croient savoir, ce qu'ignore le vulgaire ou qu'il est censé ignorer, est en fait un obstacle presque invincible à tout effort d'imagination, puisque l'imagination consiste d'abord à sortir des limites a priori que lui oppose l'esprit de système. La première qualité d'un bon commis est d'avoir de l'imagination : il ne saurait en avoir vraiment, ni la garder longtemps, s'il ne se tient sans cesse en contact avec ceux qui pensent à l'extérieur du système, et dont parfois la pensée critique a le système pour objet.

Il est vrai que la séparation est telle entre le système

et ceux qu'il administre que l'on peut se demander, tout compte fait, si la démocratie politique a jamais existé en France, ce qui expliquerait la difficulté que rencontre l'idée de concertation, idée nouvelle étrangère à nos mœurs. Ni l'administration, ni ses partenaires éventuels, n'y sont préparés par les sentiments d'estime et de solidarité nécessaires pour œuvrer en commun, c'est-à-dire pour *créer du nouveau* ensemble. Entre eux se dresse l'idole stérile du providentialisme étatique, omnipotence fallacieuse dont les iconoclastes se font attendre en vain. Il faudra beaucoup de diplomatie et de conviction à long terme pour faire admettre non seulement aux bureaucrates, mais en définitive à cette masse de Français qui font de la bureaucratie ce qu'elle est, que le principe de l'Etat n'est rien d'autre que la solidarité des citoyens, et la bureaucratie l'un des instruments de celle-ci, ni toujours le pire, ni souvent non plus le seul efficace.

Quels en sont les autres instruments, en dehors des groupes professionnels ou d'intérêts, dont la pression est manifeste ? D'abord — j'écris exprès : d'abord — toutes les associations de personnes qui se préoccupent de donner tout son sens à « la volonté de mieux vivre des Français ». Pour ces personnes et leurs équipes petites ou grandes, *mieux vivre égale être plus.* Ce n'est pas une équation généralement admise, les conditions spirituelles qu'elle demande pour se vérifier étant étrangères aux structures mentales de beaucoup. Pour parler sans fard, nous nous intéressons d'ordinaire presque exclusivement à l'*avoir* et fort peu à l'*être,* lequel est bien, en général, le cadet de nos soucis. La raison en est qu'un grand nombre de gens vivent en des lieux et des circonstances peu favorables à l'éveil de leur être qui a d'ailleurs la fâcheuse tendance, chez presque tous, à se rendormir à peine éveillé.

Des éveilleurs, on en trouve pourtant un peu partout en France. J'ai pu mesurer, adolescent, le rôle de tel jeune animateur de la J.A.C. (Jeunesse agricole catholique), et quels progrès rapides entraînait la prise de conscience qu'il savait susciter autour de lui. Depuis la guerre, les foyers d'initiative désintéressée se sont multipliés à travers le pays ; des hommes et des femmes toujours plus nombreux ont pris goût à la réflexion en commun, à cette édification réciproque (au sens architectural du mot *édifier)* qu'est un ciné-club, un centre de débats, un quatuor, une maison de jeunes, un lieu de méditation. C'est grâce à eux, à leur travail d'équipe, qu'en bien des endroits la province respire encore. Mais ils demeurent souvent isolés, peu suivis par ce qui les entoure, vaguement suspects de ces hardiesses que le conformisme provincial prête à ce qui dérange son trantran. Les autorités locales les ignorent ou leur font l'aumône, Paris n'a jamais fait l'effort de recenser des bonnes volontés qui ont besoin, pour se soutenir, que l'on sache qu'elles existent, et qui finissent par se noyer dans l'indifférence et l'inculture qu'elles ont tenté de dissiper.

Car il faut dire que cette indifférence et cette inculture sont en France un facteur grandissant d'inertie, en partie du fait que la télévision rend inutiles les formes de distraction collective qui, jadis, donnaient lieu à l'échange personnel et stimulaient la créativité. La subculture de la jeunesse, dont on parle beaucoup, se réduit souvent à des carrousels de Hondas le samedi soir, sur la grand-place. En dehors des bals et des concours de pétarades, les jeunes gens n'ont nulle raison de se rencontrer, et s'ils le voulaient, où le pourraient-ils ? Même une grande ville comme Avignon, sauf en période de Festival où elle devient pour les hippies ville sainte, est un désert culturel dont les tournées Karsenty sont l'oasis ou le mirage. Pour une partie importante de la bourgeoisie provinciale, qui se pique d'être cultivée parce que ses enfants vont au moins jusqu'au bachot, le XXe siècle n'existe pas ou n'est intellectuellement qu'un chaos et moralement une sentine. Un enseignement disciplinaire des classiques a stérilisé pour toujours le goût de millions de Français. Si l'on y ajoute que Paris est une autre planète, mais qu'aucune métropole régionale n'a jamais pu ou su se constituer en dehors de ce soleil dont l'influence à distance, subie bien que passionnément refusée, paralyse beaucoup de provinciaux, on aura donné quelque idée de la difficulté de toute réforme régionale.

La régionalisation ne sera qu'une nouvelle forme de tutelle si les provinciaux ne s'animent pas mutuellement à penser les activités spécifiques de chacune de leurs régions dans le tout français. Cette réflexion [1] pourrait être décisive dans le domaine de la culture qui, entendue comme *style de vie,* englobe les choix économiques et sociaux de demain. Ce style, en effet, est l'expression d'une politique supposant l'articulation de ces grands choix, la définition de tels équipements plutôt que d'autres, une vision d'ensemble de l'environnement, une intégration de l'école, une dé-parisianisation de l'O.R.T.F. qui puisse aider l'Office à devenir un des lieux de l'activité spécifique de la région. A ce style de vie manquerait quelque chose d'essentiel si l'on continuait en haut lieu à méconnaître la variété des cultures régionales, refoulées encore aujourd'hui par l'obsession du séparatisme. En fait, ces cultures ne seront des énergies centrifuges que dans la mesure où, redoutant leur renouveau, on les traitera comme des corps étrangers ou au mieux des vestiges folkloriques.

Que peut-on faire, de Paris, pour donner aux régions le goût d'être ? Au lieu de centraliser — de neutraliser — toute imagination dans les bureaux parisiens, il conviendrait de fédérer sur place les imaginations, *y compris celles des représentants de l'autorité centrale,* lesquels en

1. Comme elle tarde ! Qu'est-ce qui retient les provinciaux d'organiser dès maintenant des colloques sur les formes d'enseignement, de culture, d'urbanisme, qu'appelle leur région ? Toujours la même chose : il manque les quelques dizaines de milliers de francs nécessaires à de telles rencontres. Inutile d'attendre cet argent des ministères qui font la sourde oreille : c'est sur place qu'il faut le trouver.

auront s'il leur est donné la latitude d'en avoir [1]. A cette conception du rapport entre la région se connaissant elle-même et l'ensemble français qui la reconnaît en lui, correspond, sur le plan qui nous occupe, la fonction éventuelle de *chef de district culturel.* Ce ne serait pas un simple attaché de préfecture, mais un fonctionnaire mobile des Affaires culturelles qui jouerait, à travers la région entière, un rôle complexe et passionnant de découvreur, de coordinateur, d'animateur, de médiateur entre l'Etat, les collectivités, et les équipes locales aux initiatives diverses. Plus qu'un pourvoyeur de manne gouvernementale, il serait un suscitateur de générosités, un révélateur des solidarités locales ; il donnerait à voir ce qui peut être entrepris à partir d'elles, qui méritera donc, sous des formes diverses, aide matérielle et encouragement moral de l'Etat. Il serait en somme le garant de la vérité du vieil adage : « Aide-toi, le Ciel t'aidera. »

La chose remarquable, véritablement neuve, est qu'une telle coordination en vue de *vivre mieux* puisse être orientée jusque dans le détail par le pouvoir germinatif d'une idée plus intense et plus vaste : *être plus.* Je reviens ici à la question qui se pose aujourd'hui à tout homme conscient des immenses pouvoirs investis dans l'homme, et de leurs non moins immenses dangers : c'est une question de confiance, de foi. La politique, c'est-à-dire la vie de la cité, peut-elle s'épanouir un jour en une esthétique de l'existence individuelle et collective ? Est-il absurde que les hommes voient un jour un *bien* nécessaire dans la *beauté ?* Est-il absurde d'espérer qu'ils soient rendus sensibles au langage de l'espace, à la richesse de l'authentique durée, à la signification psychique de la nature, du silence, à cette libération qu'est la fête comme

1. On souhaite que ces représentants du pouvoir, et certains grands universitaires, cessent de se regarder comme en exil temporaire ou parfois un peu comme en pays colonial, et s'efforcent de mieux s'attacher au milieu dans lequel ils vivent.

à cette autre libération, l'intimité ? On dira : l'homme sera toujours cet être au travail, tenu par le temps et la tâche : le lot du grand nombre, hier comme aujourd'hui, sera la servitude de l'usine ou du bureau, avec le loisir pour contrepartie. Mais si le temps du travail était imaginé autrement, ce qui impliquerait une nouvelle conception du bureau ou de l'usine, le temps ne pourrait-il alors devenir *libre*, et celui qui l'emploie se sentir plus divers, plus créatif ?

Tant que persistera, conséquence de l'âge industriel et de la centralisation bureaucratique, cet état schizoïde divisant notre vie entre travail servile et loisir inane, nous serons condamnés — du fait même que le système atteint un seuil de progrès à partir duquel il doit se métamorphoser ou mourir — à une contradiction de plus en plus exaspérée, de plus en plus intériorisée, entre violence libertaire et réflexe répressif. Tension féconde, si nous acceptons de la vivre et non de la subir ; si nous surmontons, par des formes sociales appropriées, le double danger d'une putréfaction anarchique et d'une cadavérisation rigide. En d'autres termes, est-il possible de concevoir, à court et à long termes, des transformations qui *devancent* l'explosion de certains besoins, un ordre évolutif qui fasse faire l'économie d'un Ordre noir ou d'un désordre rouge ? Quelle idée de l'homme peut transformer en participation libre la nécessité du travail, en durée personnelle le loisir ? Quelle relation est possible entre eux, qui rétablisse l'unité de l'être s'exprimant par l'un et l'autre au lieu d'y être diversement aliéné ?

A qui revient ce travail de conception ? Certes pas aux seuls spécialistes dont la solidarité n'est que l'articulation réciproque de leurs systèmes. Un lien organique reste à créer, un réseau de collaborations suffisamment souples, entre esprits divers mais également réceptifs, également inventifs, prospecteurs dans toutes les directions de l'humain, moins pour qu'ils planifient ou théorisent ensemble que pour leur permettre de poser à la vue de tous, obstinément, certaines questions ayant trait à l'existence quotidienne des hommes, à l'espace où ils vivent, aux cadences qu'on leur impose, aux rythmes qui les modifient, à leur imprégnation par l'environnement physique et social, à leur encombrement mental et à leur vide. Questions en creux, questions qui creusent. Leur ensemble serait comme le moule éclaté de la condition actuelle de l'homme : on y lirait les ruptures qui la menacent, les contradictions qu'y accroît le progrès. Et sans doute y pressentirait-on autre chose : une forme spirituelle cachée, atrophiée malgré elle et qui travaille ses limites trop étroites de vie. On y percevrait la *poussée interne* de l'être. Cette projection devrait s'intégrer à la pensée même des hommes politiques : il faut leur souhaiter beaucoup d'imagination pour qu'ils utilisent, dans leurs prévisions à long terme, un peu de la folie des utopistes.

Le gouvernement, à court terme, a bien d'autres chats à fouetter ? Ce n'est pas avec la culture qu'on apaise la colère endémique des viticulteurs de l'Hérault ou des producteurs des Bouches-du-Rhône ? Ce n'est pas dans la perspective d'un humanisme, fût-il populaire, que peut se trouver la solution urgente d'un conflit dans la fonction publique ou chez Renault ? Je le sais bien, et j'y vois une preuve entre bien d'autres de la lézarde qui menace tout l'édifice, dans notre société comme dans nos esprits : lézarde entre les intérêts immédiats en présence et la fin souhaitable pour l'homme, entre la lutte de classes devenue chantage réciproque et la distribution harmonieuse des responsabilités dans une collectivité créatrice de soi.

La culture, c'est aussi un effort continu vers cette harmonie dont la base est sociale : c'est l'anti-Babel où chacun parle sa langue sans ignorer celle des autres, où les intérêts différents sont encastrés dans les mêmes fondations. La culture est l'espérance réitérée sans cesse, en parole et en acte, que la lézarde peut être cimentée, la blessure du réel cicatrisée. A travers tant de crimes et d'erreurs, notre siècle, notre Europe maudite du fait de ses bourreaux et rédimée du fait de ses martyrs, cherchent obscurément, passionnément, la vérité du mot *socialisme* : au-delà des chocs d'intérêts qui sont autant de grandes manœuvres des pouvoirs, ce mot, exorcisé de tous les maléfices de la volonté de puissance d'où qu'elle vienne, signifie information, concertation, coopération, risque pris et chance courue en commun ; ce n'est pas un vocable rassurant, c'est un idéal difficile. Il faudra plus de peine encore, et plus de lucidité, pour changer les habitudes qui nous étriquent et font paraître notre époque démesurée, que pour équilibrer la production fruitière ou faire que les contrats de progrès méritent vraiment le nom de contrats. Mais la peine est de même nature, le résultat identique.

Que nous le sachions ou non, que nous le veuillions ou non, la société est en gestation de sa propre forme culturelle, et cette gestation intéresse des collectivités immenses, peut-être le monde entier. Un avortement est toujours possible, et toutes sortes de poisons agissent dans ce sens sur l'organisme social. Le projet culturel est un diagnostic de ces forces de désintégration dont certaines, de manière ambiguë, sont les symptômes d'une attente ; de ce diagnostic découle, dans l'immédiat et dans le lointain, le choix des moyens de mener à terme la forme humaine que l'esprit pressent. Il n'est donc pas absurde que la commission des Affaires culturelles ait, en quelque sorte, hissé de force la culture à la hauteur des plus grandes options du VIe Plan : il fallait y croire pour le faire. Reste à montrer — c'est l'objet de ce livre — comment chacun, dans sa sphère, peut se sentir engagé dans ce projet.

LA COMMISSION ET SES TRAVAUX

« En vue de l'établissement du VIe Plan, il est constitué, au Commissariat général du Plan, une commission des Affaires culturelles [1]. » Tel est l'article premier de l'arrêté ; le deuxième en énumère les membres ; le troisième, les hauts fonctionnaires que le président peut appeler à participer aux travaux.

La liste des membres est établie après va-et-vient entre divers bureaux ministériels. Le président éventuel n'est pas consulté pendant la préparation de cette liste. Il lui est seulement demandé, comme aux autres membres, s'il accepte sa nomination.

Le président est assisté d'un vice-président, haut fonctionnaire ; d'un rapporteur général, maître de requêtes au Conseil d'Etat (Paul Teitgen, auquel sera dû l'essentiel du rapport final), et de deux rapporteurs généraux adjoints, eux aussi de la fonction publique. Le président est donc bien encadré, chose indispensable dans le cas présent, pour pallier son ignorance des affaires. Les rapporteurs veilleront à ses premiers pas, se feront ses pédagogues. Du quatuor qu'ils sont appelés à former avec lui va dépendre, pour une grande part, l'orchestration des thèmes du rapport.

La liste figurant dans l'arrêté n'est pas définitive. Certains membres se récuseront, d'autres seront nommés à leur place, par choix d'en haut. Il en est que l'on n'apercevra qu'aux premières réunions plénières. L'objet de

1. Voir Annexe I, p. 175.

celles-ci est de déterminer les orientations générales, c'est-à-dire la politique que préconisera la commission. Le travail secteur par secteur est confié à des groupes présidés chacun par un membre de la commission, auxquels peuvent prendre part, à son gré, des personnes étrangères à celle-ci. Ce travail sectoriel donnera lieu à des rapports dont les membres de la commission recevront les états successifs. Leur texte définitif pourra servir, au cours des cinq années du Plan, de dossier de référence dans un domaine déterminé (monuments historiques, musées, théâtre, cinéma, lettres, etc.). Outre les groupes sectoriels, trois groupes généraux sont chargés d'étudier le financement, le rôle des collectivités locales, la prospective culturelle à long terme.

Le plan de travail est simple, on le voit, et grande l'initiative des présidents de groupe. Mais quelques remarques s'imposent avant d'aller plus loin. La participation de chacun aux travaux, depuis le spécialiste occasionnellement consulté jusqu'au président, est entièrement bénévole. Même le travail, considérable, des rapporteurs hauts fonctionnaires s'ajoute à leur tâche prescrite. Si l'accomplissement de celle-ci en est retardée, ils seront pénalisés. La régularité et l'intensité de ces travaux dépendent de leurs animateurs. En moyenne, les groupes se réunissent deux fois par mois pendant une année environ, la plupart dans des locaux privés, car l'administration manque de place. Elle manque aussi d'un secrétariat suffisant : il faudra souvent improviser, en comptant sur des dévouements anonymes, pour assurer la reproduction et l'acheminement de certains travaux. De l'extérieur, il est difficile d'imaginer la part de bricolage artisanal nécessaire pour assouplir un fonctionnement administratif à la fois complexe et inadéquat. Au Plan comme ailleurs, l'Etat est un ensemble d'immenses machines au but très ambitieux, mais auxquelles certaines pièces feront toujours défaut. Paradoxalement, plus on lui ajoute de pièces, plus il en manque : c'est le principe d'accroissement de toute bureaucratie.

La composition de la commission d'après l'arrêté mérite examen. Première constatation : très peu de femmes. De plus, sans compter les neuf hauts fonctionnaires que le président peut prier, « en tant que de besoin », de participer aux travaux de la commission mais qui n'en font pas partie, elle compte dix-sept personnalités de la fonction publique, membres du Conseil d'Etat, de la Cour des Comptes, directeurs généraux, directeurs, chefs de service ; sept délégués de syndicats ouvriers, patronaux ou de cadres ; six représentants de collectivités locales, conseillers généraux, maires, maires-adjoints ; six représentants d'organisations professionnelles ou culturelles ; six recteurs d'académie ou professeurs, et, pour saler le tout, deux sociologues. A côté de cette énorme majorité de spécialistes des diverses fonctions sociales, peu nombreux sont les hommes qui ne représentent qu'eux-mêmes, leur réflexion et leur imagination. Je compte trois hommes de théâtre, quatre « personnalités », et seulement trois artistes en tant que tels, trois autres figurant sur la liste en leur qualité de fonctionnaires.

On peut discuter l'étanchéité de ce classement. En fait, des interactions se sont fréquemment produites entre les idées ou les intérêts ; de plus, en beaucoup de cas, la fonction, publique ou non, n'emprisonne pas l'homme ; elle lui fixe seulement des limites qu'en tant que fonctionnaire il ne peut dépasser. (Cette remarque ne s'applique pas aux trois rapporteurs de la commission, dont deux sont membres du Conseil d'Etat, et qui ont, au cours de dures péripéties, montré que l'intelligence motrice est un beau risque.) Il reste que le fonctionnaire siégeant *ex officio* vient soutenir (et c'est tout naturel) moins une politique d'ensemble que les intérêts de son département ; si, plus généralement, il représente le Plan ou l'Etat, il est là souvent pour rappeler certaines impossibilités théoriques, et rarement (bien que cela arrive) pour aider à les tourner, voire à les enjamber. Aux chargés de mission assurant la liaison avec le Commissariat du Plan, il faut rendre cette justice qu'ils ont, à la limite extrême de leurs moyens, aidé l'entreprise à ne pas déraper en des tournants difficiles. Ils étaient d'ailleurs toujours présents aux réunions plénières, alors que bien des directeurs de grands départements déléguaient à leur place des fonctionnaires sinon épisodiques, du moins souvent interchangeables.

Une fois les groupes au travail, les réunions plénières se sont espacées. La chose se justifie, mais elle eut pour effet de disjoindre les travaux sectoriels d'avec la réflexion sur les orientations générales. Chaque groupe partait de la situation actuelle dans son secteur pour définir, en vase clos, les transformations paraissant nécessaires. Il s'insérait ainsi dans un schéma de fonctionnement préétabli, correspondant à la structure présente du ministère des Affaires culturelles. Et, ce qui va de soi, il demandait le maximum sans tenir compte de la politique d'ensemble, ni du plafond des crédits : sachant d'avance que ses demandes passeraient par le lit de Procuste d'« arbitrages » nécessairement arbitraires. Cette « sectorialisation » (qu'on me passe cet affreux mot) était aussi une « sectarisation ». Autrement dit, chacun louchait vers l'assiette du voisin. Que sa part fût grosse ou petite, chaque groupe ne pouvait que défendre l'intangibilité de la division sectorielle implicitement mise en cause par les grandes orientations.

Celles-ci avaient pourtant été ébauchées dans les premières réunions plénières. Elles étaient d'ailleurs dans la logique des travaux de la commission du Ve Plan. Dite, plus modestement que la nôtre, de « l'équipement culturel et du patrimoine artistique », elle avait passé outre aux limites de son nom et souligné cette évidence : tout plan de développement culturel suppose une politique globale de la culture. Sans examiner pour l'instant le contenu philosophique et pratique de ce dernier mot, je me contente ici de marquer mon insistance, dès le début de nos travaux, à joindre dans l'esprit de tous, non sans mal, la préoccupation de la forme de vie à celle de la création esthétique. Quand on parle aujourd'hui de culture, on ne parle pas que d'art, et c'est bien : pourtant il arrive que, tout au souci du meilleur être du grand nombre, on oublie non seulement le sort des artistes, mais leur importance dans ce dessein général ; et les artistes, habitués au silence, se taisent.

Il n'est pas facile de parler de la fonction spécifique de l'art devant un groupe de soixante personnes dont très peu comprennent d'emblée, ou sont disposées à reconnaître, la singularité universelle de l'acte créateur. Les uns en font — de la poésie surtout, qui n'entre dans aucune catégorie professionnelle — une occupation marginale, presque un *hobby;* les autres tendent à réduire l'artiste au professionnel qu'il est et n'est pas ; d'autres sont gênés dans je ne sais quel égalitarisme, du fait que le créateur, si lié qu'il puisse être — et il ne l'est pas toujours — au destin actuel des autres hommes, reste toujours fondamentalement un être seul, dont la solitude, paradoxalement, est le vrai lieu de son universalité. D'autres pensent, parfois non sans raison, que cette solitude peut n'être qu'une attitude, une façon de « faire l'artiste ». Certains enfin sont des utilisateurs de l'œuvre d'art, pédagogues ou organisateurs de spectacles, auxquels leur légitime souci de rendre l'art communicable risque de faire oublier qu'il est souvent difficile et d'abord peu immédiat, parfois même rébarbatif.

Sans méconnaître la compétence ni le dévouement des agents culturels de divers ordres, intermédiaires qui se veulent messagers de l'art auprès du public, j'ai souvent eu l'impression qu'en cela même qui le concerne l'artiste était regardé par eux comme un intrus, comme un facteur de discordance, s'il parlait de son art en créateur et non en professionnel. Même le groupe des lettres, nouveau venu (ce qui est en soi révélateur) parmi les groupes sectoriels, n'a pas voulu, ou osé, sortir des limites du strict professionnalisme : il a parlé du métier d'écrivain, non de la vocation d'écrire. Le mot *vocation* est aujourd'hui employé à propos de n'importe quoi, sauf d'une vie d'homme.

Cependant, malgré la gaucherie et — me semblait-il — l'imprécision que devait avoir mon langage pour des gens d'une autre terminologie, je fus entendu quand je suggérai qu'une Fondation nationale de la création artistique pourrait servir, dans une certaine mesure, à briser l'isolement du créateur. Cette idée fut adoptée par la commission comme une de ses quatre propositions de base — ou, comme on dit, « options » — mais le projet n'en fut jamais élaboré en groupe de travail. La vague esquisse qui en figure au rapport final fut dessinée, faute de mieux et pour prendre date, par les rapporteurs et le président.

Sans qu'il en ait été tout à fait de même des autres organismes imaginés pour mettre en œuvre une politique de la culture, leur germe était déjà dans l'esprit des rapporteurs : la commission en fut la matrice. Ces organismes, conçus comme étroitement liés, devaient former une triade : un comité consultatif du développement culturel (dénomination modeste où l'on s'enhardit plus tard à changer comité consultatif en conseil) ; un comité interministériel du développement culturel, assurant la concertation entre les ministères ; enfin un organisme d'intervention analogue au Fonds d'intervention pour l'aménagement du territoire, le F.I.C., ou Fonds d'intervention culturelle. Il est facile de voir que la commission souhaitait que le premier organisme fût une équipe de réflexion chargée de concevoir une politique d'ensemble, mais aussi d'étudier certains dossiers pouvant servir de tests immédiats, et de suggérer au gouvernement, à partir de cette conception générale et de ces études concrètes, telles réalisations et orientations qui lui sembleraient possibles, relevant tantôt d'un ministère donné, tantôt de la collaboration entre plusieurs ministères. Réflexion et propositions tenues pour si sérieuses que ce comité, ou conseil, devrait chaque année, pensait la commission, faire un rapport sur son travail au Parlement.

Quant aux deux autres organismes, c'étaient les instruments indispensables au gouvernement pour unifier sa politique culturelle éparse jusque-là en différents ministères et, *last but not least,* dans la citadelle O.R.T.F. On conçoit bien le rôle du comité interministériel ; celui du Fonds d'intervention culturelle est moins évident mais de nature plus inventive. Il devra, dit le rapport final, « déclencher des actions nouvelles bien localisées et, grâce à la mise financière consentie par lui, (...) provoquer l'apport correspondant d'autres ministères, des collectivités locales ou d'organismes publics ou non. Pour que le Fonds intervienne, il faudra que l'action envisagée ne puisse être réalisée par un ministère selon les procédés normaux, soit pour raisons structurelles tenant au caractère interministériel de l'action, soit en raison de son caractère expérimental ». En termes simples, le Fonds serait un moyen de déclencher l'initiative : avec des sommes modestes, non renouvelables, il devrait amorcer des réactions en chaîne dans les ministères et les collectivités. L'étude de ses modalités d'intervention est une des plus fouillées, et relativement des plus techniques, figurant dans le rapport final : preuve de l'importance extrême attachée par la commission à son éventuel fonctionnement dans une politique d'ensemble. C'est justement pour faire admettre cette politique culturelle globale que la commission allait lutter près de neuf mois.

Avant d'évoquer ce véritable suspens — mot qu'il faut prendre aussi bien au sens propre, puisque la commission, pendant une longue période, fit connaître qu'elle suspendait ses travaux —, quelques mots doivent être dits sur la physionomie de la commission elle-même et sur l'atmosphère de ses séances plénières après qu'elle eut pris son élan. Une fois allégée de ses membres purement nominaux, disparus au bout de deux ou trois séances, elle groupa quarante personnes environ que, dans leur majorité, le président ne pouvait identifier car elles se substituaient sans cesse les unes aux autres. Cette majorité représentait les bureaux et, sauf exceptions, était muette mais non sourde. En revanche il y avait des orateurs réguliers, souvent riches d'idées mais plus encore de critiques, et pour lesquels la commission était une tribune où faire entendre des revendications syndicales, voire des attaques, par le biais de la culture, contre la politique du Plan. D'une certaine manière, ils étaient des éléments moteurs de la commission : en même temps, par leur surenchère constante, ils semblaient tenir à se démarquer des résultats qu'elle pourrait obtenir. Compagnons stimulants mais difficiles, ils m'ont aidé à mieux comprendre la vraie dimension politique du projet, et mis en garde contre la *culture-alibi,* ce camouflage idéaliste des contradictions qui, en fait, barrent l'accès du grand nombre à la culture. Mais ils m'ont aussi confirmé le manichéisme de la politique française ; entre les « forces réactionnaires » dont le gouvernement est l'instrument, et les « forces démocratiques et populaires » qui ne peuvent chercher qu'à le renverser, aucune collaboration n'est possible, même et surtout sur le plan culturel, car à gauche la culture est une notion politique, alors qu'à « droite », côté gouvernement, ce n'était alors même pas une notion.

Peut-être les plus intéressés à l'autonomie de la fonction culturelle dans une politique nationale mieux concertante qu'aujourd'hui, sont-ils les responsables de groupements culturels ou de grandes collectivités locales. Actuellement, leurs rapports avec l'Etat ne semblent pas clairement définis. L'aide que peut leur apporter celui-ci est conçue presque exclusivement par eux, et par l'Etat lui-même, sous forme de subventions qui, si généreuses qu'on les imagine (et elles le sont toujours moins en réalité) ne pourraient suffire aux besoins. D'où le ressentiment et surtout le scepticisme de beaucoup devant la carence de l'Etat providentiel et la mauvaise volonté qu'on lui prête, à raison parfois mais non toujours. C'est justement à cette image providentielle qu'il faut apprendre à renoncer, et l'Etat le premier : tant qu'elle subsiste, aucune régionalisation n'est possible, a fortiori aucune mise en commun d'imagination et de ressources culturelles, aucune fédération d'initiatives sur le plan régional. L'argent, la subvention, doivent cesser d'être aux yeux des animateurs locaux l'unique signe de la sollicitude gouvernementale. Celle-ci peut s'exercer plus efficacement à long terme par la coordination et l'utilisation polyvalente des moyens existant sur place, mais dépendant jusqu'ici d'administrations qui s'ignorent entre elles ou dont certaines regardent les autres de haut. Si les « structures de concertation et de décision au niveau régional » proposées dans le rapport final de la commission n'étaient pas créées dans un proche avenir, la province française continuerait d'être, en dehors des haux lieux festivaliers, foires annuelles de la culture en vacances, ce désert culturel où quelques fous, oblats, boys-scouts, gentils mégalomanes, à force de sacrifice et d'ingéniosité désespérée, maintiennent de loin en loin des points d'eau...

Par les rapports des groupes de travail, rapports bien documentés et riches d'idées dans leurs domaines respectifs, le ministère est informé de ce que les spécialistes jugent insuffisant ou souhaitable dans les grandes directions qu'il contrôle. Si nécessaire qu'ait été cet inventaire fait avec intelligence et conviction, il risquerait, précisément par son caractère pratique, de cacher le projet global que la commission, dès le début, s'était donné comme raison d'être. Incontestablement, l'idée d'une politique d'ensemble de la culture, telle que la définit le rapport général, oblige de penser à nouveau non seulement le rôle et l'administration interne du ministère des Affaires culturelles, mais sa place dans le gouvernement et ses relations avec les autres ministères « à vocation culturelle », c'est-à-dire (au vrai sens des mots *ministère* et *vocation)* dont les *services* devraient *vouer* à la culture une partie de leurs efforts.

La substitution au mot culture de l'expression *politique culturelle* est un changement d'ordre de grandeur et non pas seulement une formule à effet. Certains bureaux, en divers lieux, faillirent s'en montrer inquiets, mais leur scepticisme naturel leur souffla que cette perspective rêvée sur le papier ne serait jamais ouverte. Pour le président et les rapporteurs de la commission, il s'agissait au contraire qu'elle s'ouvrît le plus tôt possible à l'esprit des quelques hommes qui, seuls, avaient l'autorité et l'imagination suffisantes pour la faire leur et l'élargir aux dimensions de la société nouvelle. En termes publicitaires, c'était le moment de vendre l'idée : de la mettre à l'épreuve de l'esprit politique, lequel n'aime guère les constructions idéales qui ne correspondent pas aux virtualités du réel. Les difficultés — mais aussi le *jeu* — allaient commencer.

LE CHEMINEMENT D'UNE IDÉE

Le rapport général de la commission n'a paru qu'en juin 1971 à *la Documentation française*. Mais les idées maîtresses qu'il développe étaient fixées dès le printemps de 1970. Le président de la République m'avait alors fait l'honneur, à ma demande, de m'accorder une audience au cours de laquelle j'analysai devant lui les trois « structures nouvelles » qu'entendait proposer la commission. Le réalisme du Président et son sens des résistances humaines me valurent des critiques précises, mais nullement négatives, concernant moins le Fonds d'intervention culturelle, auquel il était d'avance rallié, que le comité interministériel, sur le fonctionnement duquel son expérience de Premier ministre lui avait laissé plus que des doutes. Il ne sembla pas retenir l'idée d'un comité consultatif. Quant à celle d'une Fondation pour la création artistique, elle était encore trop informe dans mon esprit et je me gardai de la lui présenter. Le président de la République est un homme qui sait écouter et retenir, et qui possède un goût très vif du dialogue. La commission considéra comme un haut encouragement l'audience qu'il avait bien voulu m'accorder. Quelques semaines plus tard, il réunissait à sa table, pour un déjeuner de travail, certains membres de la commission et quelques animateurs d'organisations culturelles. Ce fut l'occasion de propos divergents mais d'autant plus animés, qu'il échangeait pardessus la table, dans le brouhaha d'une discussion générale, souvent avec plusieurs interlocuteurs à la fois. De ce déjeuner, comme de mon audience privée, je retirai l'impression que si la place de la culture dans la nation était loin d'être indifférente au Président, il ne s'était pas encore, à ce moment-là, formé l'idée d'une politique d'ensemble.

Dans le ciel clair de nos cogitations théoriques, un orage pourtant s'amassait, qu'allait faire crever un coup de fourchette. La fourchette, dans la symbolique administrative, est l'objet idéal formé par le maximum et le minimum d'un budget. Son « estimation », pour les Affaires culturelles, variait de manière surprenante, selon qu'elle se basait sur les « besoins exprimés », toujours gonflés, sur l'évaluation raisonnable des sommes que, dans son état actuel, peut utiliser le ministère, ou sur les critères d'économie chers aux services des Finances qui, faut-il le dire, ne voyaient guère pourquoi s'embarrasser de culture dans un budget d'austérité. Nous avions, le rapporteur général et moi, imposé deux heures d'éloquence au commissaire général du Plan pour le convaincre que le développement culturel pouvait être, avec de l'invention mais à peu de frais, une des lignes de force de la politique définie par le Plan. Nous avions trouvé en M. Jacques Delors, conseiller du Premier ministre, un auditeur tout aussi compréhensif. De plus, notre estimation de la « fourchette » était modeste : 1,8 à 2 milliards, ce qui permettait au ministère de dégager 200 millions de francs pour entreprendre une action culturelle nouvelle, en particulier par l'intermédiaire du Fonds (F.I.C.).

Ces sommes peuvent apparaître dérisoires à qui entend parler de politique culturelle d'ensemble. Il faut, pour les mieux apprécier, se rapporter au ministère tel qu'il est, et non tel qu'il devrait être ou que l'on voudrait qu'il fût. Une façon d'étouffer le ministère des Affaires culturelles serait de lui accorder un budget double de celui que son organisation actuelle lui permet de dépenser : ce qui serait discréditer le projet culturel dès sa naissance. Une autre manière, celle-ci de faire mourir le ministère à petit feu, serait de lui donner chaque lustre moins que pendant le lustre précédent. C'est pourtant ce qu'à notre consternation avaient décidé les Finances, qui inscrivaient les Affaires culturelles au budget pour une somme moyenne de 1,3 milliard. L'annonce nous en fut faite fin mai 1970, lors d'une réunion « arbitrale ». Désormais, parler de politique culturelle devenait une farce. Dans l'immédiat, la question qui se posait au ministère était celle de sa survie.

Du même coup, la commission créée « en vue de l'établissement du VIe Plan » n'avait plus qu'un semblant de raison d'être. Accepter la situation eût été consentir à ce faux semblant : la commission décida de se suspendre, son président et ses rapporteurs de donner leur démission personnelle. Celle-ci fut communiquée au président de la République, au Premier ministre, au ministre délégué chargé du Plan, au ministre des Affaires culturelles. Mais président et rapporteurs décidèrent de la tenir secrète, pour une très bonne raison.

Rendue publique, elle eût embarrassé le gouvernement et peut-être fait boule de neige en d'autres commissions du Plan. Cette crainte était un atout à jouer, le seul peut-être. Mais pour le jouer, il fallait éviter le petit scandale qu'eût été une démission lancée avec éclat. Les journaux d'opposition s'en seraient emparés, auraient fait des quatre démissionnaires leurs héros d'un jour, auraient, une fois de plus, lamenté le triste sort de la culture, et huit jours plus tard c'eût été fini du projet et de ses auteurs. En taisant notre démission, nous laissions les rédactions bruire, sans qu'aucun texte confirmant la nouvelle pût être publié.

Les péripéties qui suivirent occupèrent les six derniers mois de 1970, et le printemps 1971 ne fut pas sans escarmouches. Nous n'étions plus « démissionnaires » qu'entre guillemets, mais ces guillemets pouvaient disparaître à l'heure où nous le choisirions. Du coup, nous devenions des « partenaires sociaux » courtois et peu commodes, avec lesquels on négocie. Nous n'avions qu'un but : convaincre le Premier ministre de l'intérêt du projet, et, accessoirement, obtenir le budget de croissance demandé. A Matignon, nous nous fîmes bientôt des alliés qui adoptèrent l'idée pour elle-même et en comprirent tous les prolongements sociaux. Cela nous encourageait, mais nos affaires n'en allaient pas plus vite. C'était directement au Premier ministre qu'il fallait maintenant présenter le projet.

J'avoue qu'une certaine littérature — dont ce que j'écris ici est un exemple — n'a rien qui me nourrisse ou me séduise immédiatement l'esprit, et que je ne m'y adonne que par obligation. Et je ne réponds qu'après avoir fait longtemps la sourde oreille à ma conscience qui me commande d'agir. Cette conscience, depuis deux mois, me pressait de rédiger les idées que m'avait values mon expérience des derniers temps ; et, pour me décider, me soufflait que ces pages seraient une introduction auprès du Premier ministre. Un jour, ma paresse finit par céder à ce qui devenait un devoir. Je délaissai pour un temps mes travaux personnels, et sur un cahier Pot in-folio, je commençai un pensum qui me prit plus d'une semaine. (Ceux qu'il intéresse le trouveront en annexe à la fin de ce livre [1]). La fille de Paul Teitgen mit au net ces trente pages, un autre membre de la famille en tira quelques exemplaires ronéotypés, et, quatre jours après, le président de la République, le Premier ministre et le ministre par intérim des Affaires culturelles avaient la primeur de ce bref écrit inspiré par une préoccupation tout autre que littéraire. Mon intuition était juste : j'eus la satisfaction d'être reçu par le Premier ministre.

L'ambition de M. Chaban-Delmas est non seulement de donner une substance aux mots *participation, concer-*

1. Annexe II. Il ne fut rendu public que plusieurs mois après, sous forme de brochure ronéotypée. La commission en connaissait les grandes lignes, dont la plupart se dégageaient de ses travaux. Il figure d'ailleurs en annexe de son rapport imprimé.

tation, mais de parvenir, à force de leur infuser tout leur sens, à modifier la nature de la société, à en dégager une *société nouvelle*. Son équipe et lui-même, si absorbés qu'ils soient à résoudre les conflits quotidiens qui menacent l'équilibre social, ne perdent jamais de vue la perspective de leur effort. On peut être sceptique sur leurs chances de succès ; certains regardent leur dessein comme la dernière utopie libérale, dissimulant sous des formules généreuses une mainmise sans vrai changement ; d'autres, les plus hostiles et peut-être les plus avisés, y subodorent un réformisme radical, une entreprise de « récupération » à long terme des fins pratiques du socialisme français sur son mirage eschatologique. Mon sentiment est que le Premier ministre croit à la nécessité d'une mutation profonde mais progressive, qu'il tente de réaliser pragmatiquement sans la définir expressément en théorie. Il lui faut tenir compte cependant du besoin qu'ont toujours les Français d'une vision politique d'ensemble, voire d'une philosophie de leur effort national. La société nouvelle, qui se fait en se transformant de l'intérieur, manque d'une image, d'une orientation vers quelque fin supérieure suscitant l'adhésion de l'esprit.

La plus réaliste des politiques ne peut à la longue se passer de cette image, dont l'absence nous rend indifférents même si nos intérêts sont satisfaits. Or, pour beaucoup, ils sont loin de l'être ; la complexité de l'expansion stimule les appétits, provoque des pléthores, des engorgements, une inflation particulièrement pénible aux plus pauvres ; les diverses catégories de Français se situent mal dans un mouvement qu'ils ne saisissent pas car ses données et ses à-coups leur échappent ; fractionnée par ses problèmes, la France ne se voit plus en entier. Le Plan ne lui fournit pas une image, mais un schéma pour lequel les Français — et même leurs députés — ne se passionnent guère. La « Nouvelle Société », conçue par les élites pensantes de l'Etat, ne serait qu'une émanation de celui-ci, une société de consommation périodiquement réglée par le Plan et, entre-temps, plus ou moins déréglée par des crises, si le taux de croissance économique était la seule âme de ce grand corps. Le Premier ministre s'en était rendu compte au moment même où il en introduisait le concept : pour le compléter, il faisait allusion à « un supplément d'âme », expression qui vient je crois de Bergson, et que j'ai retrouvée récemment dans un discours de M. Valéry Giscard d'Estaing.

Je n'ai jamais aimé cette expression. Une âme est une âme, et le corps social ne peut pas davantage vivre sans elle que le corps humain : ensemble ils font un composé indivisible. On ne développe pas le corps pour lui ajouter un peu d'âme quand il a suffisamment grandi : ils doivent grandir mutuellement, leur vraie croissance est une harmonie. Le volume de l'expansion n'est pas un critère de l'harmonie vitale, et le gigantisme forcé du corps peut provoquer la débilité de l'âme. C'est, à la limite, le cas de tout Etat centralisé moderne. Pour intelligents que soient les technocrates qui en sont la tête, ils ne forment à eux tous qu'un bien petit cerveau si le psychisme collectif leur échappe, si l'organisme entier, par son âme, ne se pense en toutes ses parties. La France a beaucoup de problèmes, mais n'a peut-être qu'une seule question : comment retrouver en elle son âme ? Savoir où nous en sommes n'a pas grand sens si nous ne savons ni qui nous sommes, ni — ce qui revient au même — où nous allons. Or, même avec les meilleures intentions du monde, aucun gouvernement n'a le pouvoir ni le droit de se substituer au pays pour le définir. C'est à la France de se définir elle-même, aux Français de s'identifier comme peuple, comme projet : la seule chose qu'un gouvernement puisse et doive faire— et d'autant plus qu'il est plus centralisé — est de leur donner les moyens de reprendre peu à peu conscience de leurs solidarités, voire d'en susciter entre eux de nouvelles, comme un corps longtemps engourdi qui sent revivre ses extrémités.

Que la concertation sur la forme de vie, objectif premier de la commission et amorce de réalisations culturelles plus vastes, apparaisse au Premier ministre comme le remède immédiatement applicable à cet engourdissement, je n'en doutai plus dès les premières minutes de notre entretien. Les compliments qu'il me fit sur mon texte, pour lequel je n'avais nulle sensibilité d'auteur, me furent moins agréables que la manière dont en quelque sorte il le devança. J'étais venu défendre une idée : je trouvais en lui un défenseur plus éloquent de cette idée que je n'aurais pu l'être. Il reprit à son compte, point par point, les propositions de la commission, en les plaçant dans la perspective de son action gouvernementale. Il m'assura qu'il préciserait par lettre son accord sur chacun de ces points, et m'annonça que le budget des Affaires culturelles serait fixé à 2 milliards, « extrémité haute de la fourchette ». Ces décisions claires et rapides témoignaient d'une volonté politique dont je me félicitai. En le remerciant, j'osai formuler le vœu qu'il exprimât publiquement et souvent cette volonté, car la notion de culture, pour éveiller dans le pays une réponse qui n'attend qu'un encouragement, doit être prise en charge, proférée, explicitée, par les autorités les plus hautes. Si la conviction vient d'en haut, elle ne craindra plus de se manifester en bas. Mais croire à la puissance du verbe est surtout croire à sa patience : afin de pénétrer les consciences et de mettre en branle les volontés, l'idée de culture et tout ce qu'elle implique devront être sans cesse, pendant longtemps, réitérées, commentées, illustrées.

Je revins devant la commission rapporter mon entrevue et communiquer la lettre que le Premier ministre m'avait adressée. Je fis un historique des événements, y compris de notre démission que nous avions tenue secrète à nos collègues. A ma surprise, oh ! légère (car l'opposition faisait partie du rituel), les apaisements, voire les satisfactions données par le Premier ministre furent tout juste acceptés du bout des doigts, et certains jouèrent même avec l'idée d'une démission en bloc, au moment où nous retirions la nôtre. Ce pays a tellement perdu — on lui a tellement fait perdre — l'habitude de croire, que quand un homme engage sa parole, on feint toujours que ce ne soient que des mots. Quant à moi, j'étais persuadé qu'en acceptant de concevoir globalement la politique de la culture, le gouvernement allait ouvrir une voie nouvelle à l'initiative et à l'imagination, non seulement à travers le pays, mais au cœur de l'administration elle-même. Entre dirigisme et anarchie, le tracé de cette voie ne serait pas facile, et des jalons seraient nécessaires dès le début. Le Premier ministre allait les indiquer dans un article de la *Revue des deux mondes,* intitulé justement « Jalons vers une Nouvelle Société ».

Cet article portait sur trois points : la décentralisation, les relations professionnelles, le développement culturel (à ce dernier point était consacrée la moitié du texte). A lire l'ensemble attentivement, on y découvrait les trois parties d'un tout. Comment, en effet, ne pas concevoir en termes de culture la *fonction pédagogique* assignée par le Premier ministre à la décentralisation ? Comment ne pas percevoir, dans l'évocation de cette « nouvelle génération d'hommes publics » que sont les « cadres techniques, cadres moyens ou supérieurs, militants des associations ou animateurs de quartier », un appel à des responsabilités qui ne soient pas de simple gestion, mais, du fait même de celle-ci, touchent à l'ordre des fins humaines ?

« A égale distance du scepticisme et du dogmatisme, il s'agit, écrivait le Premier ministre, de *promouvoir une société* où chaque homme puisse, à son échelon et à sa manière, collaborer à la construction de son avenir, traiter les autres hommes comme il voudrait être traité lui-même et obtenir des autres le même comportement. Car la « Nouvelle Société » a besoin de tous ses membres. C'est le sens de mon action sur le thème d'une

France pour tous les Français, tant du point de vue des données matérielles du niveau de vie que de celui des biens immatériels, au premier rang desquels doit figurer la culture. »

Les pages consacrées à la culture sont à mes yeux une charte des intentions gouvernementales, par la manière même dont la culture y est liée aux autres aspects de la politique sociale du pays. Les « biens immatériels » doivent trouver place jusque « dans cette partie importante de la vie quotidienne qui est celle du travail. Il n'est pas possible de séparer dans l'action ce qui est indissolublement lié dans la vie. » En d'autres termes, l'amélioration continue des conditions de travail, l'aménagement du cadre de vie et le développement des activités culturelles doivent aller de pair. La culture, en un sens, est la forme la plus achevée qu'une époque se donne de soi : elle est son style. En un sens plus haut, elle dépasse ce que l'époque sait d'elle-même : elle est un risque de la pensée. Collaborer à l'action culturelle ne signifie donc pas renoncer aux tensions sociales qui, sur d'autres plans, séparent les hommes. Peut-être même la culture seule en montre-t-elle la vérité, « parce qu'elle constitue et dévoile l'être profond jusque dans celles de ses manifestations que nous n'acceptons pas ». Une telle collaboration est en somme un *pari* offert à tous les hommes libres, non pour permettre « l'apparition d'une société totalement réconciliée avec elle-même », mais pour transformer ses divisions stériles en tensions créatrices, son manichéisme en dialogue positif. Telle est la vraie signification du « projet commun » que ne fige aucun a priori théorique, mais que les hommes formulent ensemble du seul fait d'y participer dans leur diversité. Ce pragmatisme inventeur d'idéal a des accents qui en rappellent d'autres. Si une politique les orchestre, ils finiront par être entendus.

LE CONTENU DU RAPPORT

Mais qui lit l'austère *Revue des deux mondes ?* Et qui lit les rapports ? J'apprends aujourd'hui même par *le Monde* que celui de notre commission est en vente « dans toutes les librairies spécialisées ». C'est donc une lecture pour spécialistes, et il y a fort à parier qu'ils peuvent se l'épargner puisqu'ils en connaissent déjà « les grandes lignes ». Car, comme dit du Plan Jacques Chazelles, dans sa préface à *le VIe Plan, pourquoi ?*[1] : « Ses travaux ne sont suivis, de façon plus ou moins partielle, que par les quelques milliers de personnes qui y participent elles-mêmes. »

Il m'arrive de penser, dans mes mauvais jours, que cette immense mise en scène du Plan n'est qu'une suite de répétitions épuisantes d'une pièce qui ne sera jamais jouée, ou encore que c'est un *lustre,* une cérémonie sacrificielle, où l'Etat se flagelle en même temps qu'il se loue, par l'intermédiaire de chœurs interchangeables et de protagonistes connaissant leur rituel... Cette liturgie administrative et technocratique devrait avoir une vertu incantatoire au moins sur les spécialistes qui la célèbrent entre eux : mais ont-ils la foi ? Tel est mon doute, que je me reproche, et qui tient au clivage entre la conception forcément étatiste du Plan et ma conception « anti-étatiste » de l'Etat.

De notre rapport, par exemple, je me dis tout ensemble qu'il fait à l'Etat la part trop grande en l'instituant péda-

1. Alain Buhler et Alain Sabatier, *Le VIe Plan, pourquoi ?* Fayard, éd.

gogue universel, et que ce qu'il dit de l'autonomie de la personne sera perdu pour les bureaucrates de droit divin qui n'en tiendront de toute façon aucun compte. Et me voilà, sur le mode kafkaïen, rêvant que l'Etat, l'Eglise, toutes les puissances régissant l'univers, ne sont peut-être que de géantes cages à écureuils où piétinent des commissions innombrables dont les propositions ont pour objet, non certes de jamais voir la lumière, mais de donner l'illusion que ça tourne au grand jour.

Puis je reviens, pour dissiper ce cauchemar, au travail même de la commission et des rapporteurs ; je reviens à notre rapport. Il combine deux éléments indispensables : une réflexion générale, sinon d'équipe, et l'apport originel d'une personnalité, voire d'un tempérament, ceux du rapporteur. C'est à ce dernier qu'il appartient — le mot ici a tout son sens — de dégager, des observations parfois contradictoires comme des compromis où les idées-forces risquent de s'enliser, un ensemble d'assertions où la commission se reconnaisse et qui la mènent, en tant que corps, bien plus loin qu'individuellement n'iraient ses membres. Sans doute le rapport général est-il fait à partir du matériau que lui constituent, quand ils sont prêts à temps, les rapports de groupes ; sans doute est-il le fruit de multiples échanges entre les rapporteurs et le président, dont c'est le rôle de définir une politique acceptable par la commission. Mais le rapport est l'œuvre d'un homme, et ne respire, ne palpite, que parce qu'il en est ainsi. Or le nôtre vit, il se passionne : je ne dis pas cela pour flatter son auteur, Paul Teitgen, dont je ne sais s'il est un modèle ou une exception suspecte dans la catégorie des rapporteurs. Je tiens seulement à souligner ici comme ailleurs ce qui est dans tout le propos de ce livre : à savoir que les choses de l'Etat ne sont jamais si abstraites que la présence humaine en chair et en os cesse d'y être une force et une vertu.

« C'est dans *l'Europe cultivée* qu'est né le nazisme avec

son scandaleux mépris de l'homme. » Paul Teitgen, ancien de Dachau, inscrit en épigraphe de son texte cette citation de Fernando Debesa. Pourquoi ? Pour marquer d'emblée qu'une culture de serre, bel ornement, alibi spiritualiste d'une société dont les « élites » traitent les « masses » comme des outils et parfois comme du bétail, peut être, dans un Etat devenu monstrueux, la monstruosité suprême et le pire défi aux valeurs. Si difficile que soit à définir, parce qu'il est en formation, le nouveau concept de la culture, il est « généralement ressenti comme étant celui de tout ce qui affecte la qualité de la vie ». S'écartant de la « représentation administrative traditionnelle » des Affaires culturelles, patrimoine national et création de l'art, il formule, il fait naître à la conscience, « de profondes aspirations collectives ». Lesquelles ? Celles qui, sous la pression des techniques « génératrices de massification, d'uniformisation et de consommation passive toujours accrue », rappellent à la société « le pouvoir créateur et l'autonomie de la personne, qui sont les phénomènes culturels par excellence ».

Le véritable développement culturel d'une société se mesure donc à la qualité de ses rapports avec ses membres et des relations mutuelles de ces derniers. Ses critères sont « le degré d'autonomie de la personne, sa capacité de se situer dans le monde, de communiquer avec les autres, et de mieux participer à la société tout en pouvant s'en libérer ». Une société n'est humaine que si tous ses efforts concourent à la réalisation de cet idéal unique, communautaire et personnel : si, comme le dit le rapport, elle opte « pour un certain nombre de valeurs individuelles et collectives qui font du développement culturel la finalité des finalités de la croissance et du développement ».

Or notre société, jugée d'après ces critères, n'est pas humaine ou plus exactement connaît une crise où le peu de valeur qu'elle accorde aux hommes met en question sa valeur pour l'homme. Les signes de cette crise sont évidents. « L'unité de vie est brisée » par le déracinement, la concentration urbaine, l'éloignement du lieu de travail, la ségrégation des classes et des générations, la discordance des rythmes, la perte du sens de la nature... La stratification des conditions sociales accentue l'inégalité culturelle en concentrant presque tous les moyens de culture dans les milieux les plus favorisés. Pour le grand nombre prolifère une sous-culture : « l'industrialisation et la technique substituent de plus en plus les "valeurs fabriquées" aux "valeurs créées" ». La culture, à ce niveau, devient une marchandise : de sa commercialisation par l'industrie des mass media découle une désaffection pour les formes hautes de la culture, celles qui restent les plus chargées d'un sens de moins en moins perçu. Ainsi les créateurs et les artistes sont-ils de plus en plus isolés, exclus du circuit du profit, mais aussi de toute concertation sociale, qu'il s'agisse d'urbanisme, d'enseignement, ou de cette réflexion sur ce que doivent être un espace *humain,* un temps *humain,* réflexion à laquelle, mieux que les « spécialistes », ils pourraient contribuer en profondeur. Dans ce monde de spécialisations, l'artiste et le premier venu sont des déchets du même ordre. Des spécialistes, il en faut toujours davantage, et de plus en plus adéquats. Leur existence, à intervalles de plus en plus brefs, risque d'être remise en cause par l'évolution des techniques : d'où la nécessité d'une formation continue qui, soit dit en passant, deviendrait une intolérable contrainte si elle ne s'intégrait dans une culture socialement libératrice, dans une notion culturelle du travail trop neuve encore pour notre société.

Car les causes organiques de cette crise dans l'humanisation sociale proviennent toutes du manque d'imagination, c'est-à-dire de générosité, dont fait preuve une société aux fins purement matérielles, quand elle apprécie et planifie son changement en termes de profit et non point de valeur. Ici le rapport se fait sévère : l'Etat a laissé « coloniser » l'espace. « Le prodigieux développement des concentrations urbaines, (...) la puissance publique l'a subi comme un impératif de développement économique, elle ne l'a pas assumé comme une condition nouvelle de développement culturel. Elle n'a pas aidé à la promotion d'un nouveau cadre de vie pour les hommes, elle a laissé construire des "agglomérations de logements" pour des agents de la production-consommation. Non seulement tout souci d'architecture en est absent, mais on n'y vit pas, on y subsiste et on y est seul. » Ces agglomérations-dortoirs sont de parfaits modèles de laideur abstraite, dont l'indigence architecturale n'est qu'un des signes du mépris de tout souci culturel qu'affichent leurs promoteurs. S'ils méprisent ainsi les hommes, qu'attendre d'eux à l'égard de la nature ? Les formes d'espace que les hommes se voient infliger (il n'y a pas d'autre mot) sont concentrationnaires du fait même qu'ils ne peuvent plus les intérioriser, en faire leur espace intérieur. Mais c'est là une de ces considérations « subjectives » auxquelles notre époque ne croira que le jour où cette « subjectivité » trop refoulée lui explosera très exactement en plein cœur, ce cœur dont elle n'a pas prévu la place en elle.

Autre forme de manque d'imagination : l'Etat a sous-estimé l'influence culturelle des mass media. Par eux les idées en circulation dans le monde ne sont plus regardées comme le privilège de ceux qui les illustrent, philosophes, artistes ou savants, mais, d'une certaine manière, comme le bien de tous. On peut vouloir nuancer ce sentiment, voire le modifier par une idée plus exacte de la création en tant que telle : on ne peut en nier l'existence, ni, somme toute, la fécondité. « Désormais la société cérébralisée ressent l'accession à *la culture plus comme une possibilité à exercer que comme une faculté de consommer*. La socialisation des comportements résultant des communications de masse provoque finalement chez les individus une aspiration confuse à l'autonomie, à la création, à la participation ou à l'évasion. Les tensions qui caractérisent la société moderne sont révélatrices de cette aspiration. » Corollairement, ce n'est plus l'école, mais la société entière qui, dans un avenir dès maintenant prévisible, doit se transformer en milieu éducatif, pour répondre, en le développant davantage, à ce besoin nouveau que le rapport définit comme « un désir diffus d'aptitude individuelle à comprendre, à mieux vivre, à être pour une part au moins l'auteur de l'environnement et de l'avenir. »

Dernière forme de manque d'imagination : l'Etat se méfie de l'imagination elle-même. Il tend à ne favoriser que ce qui ne met « pas en cause les structures socio-économiques sur lesquelles il s'appuie ». Toute action culturelle collective qui renforce la liberté contre l'uniformisation lui apparaît centrifuge. L'Etat moderne est de plus en plus jaloux de sa fonction grégaire, qu'il confond avec son vrai principe de cohésion, le consensus des citoyens. C'est ainsi qu'il concentre, sans se poser sérieusement la question du sens qu'ils devraient avoir pour les hommes, ces mêmes moyens d'information de masse qui transforment, qu'il le veuille ou non, son rapport avec ses sujets. Son conservatisme joue surtout dans le paradoxe de son organisation interne : centralisé, mais strictement cloisonné, l'Etat est incapable de se penser, de se prévoir. « La conjonction du centralisme administratif et de la parcellisation des compétences techniques des ministères bloque toutes les possibilités de prospective, d'analyse d'ensemble et d'intervention concertée. » Un exemple : le domaine de la culture dépend de sept organismes au moins dont les incompétences se chevauchent, dont les ressources en argent et en hommes ne sont pas mises en commun où et quand elles pourraient l'être, dont les rivalités paraissent incompréhensibles et dérisoires à ceux qui ne connaissent ni la complexité byzantine des circuits et schémas administratifs, ni a fortiori les cheminements initiatiques conférant à l'appareil de l'Etat sa majestueuse lenteur.

Cet impitoyable constat de carence, le rapporteur le résume ainsi : « Les rapports culturels de l'homme et de la société peuvent être considérés comme bloqués par le changement radical qu'un aménagement du territoire seulement considéré comme organisation économique de l'espace et sans finalité d'organisation du cadre de vie, un enseignement seulement considéré comme distribution de connaissances et des moyens de communication de masse non maîtrisés à des fins de développement culturel, ont apporté au domaine, à l'objet et aux conditions traditionnelles d'expression de ces rapports. » En d'autres termes, l'Etat, responsable de l'Aménagement du territoire, de l'Education nationale et de l'O.R.T.F., doit assurer leur coordination dans une politique d'ensemble dont la fin soit un mode de vie supérieur pour les Français. Fonctionnant isolément, ces trois grandes administrations engendrent des déséquilibres que seule une « approche globale » pourra compenser. Observation qui rappelle la remarque de M. Chaban-Delmas dans l'article précité : « Quelle peut être l'action de l'Etat dans une telle évolution ? Il doit, si l'on peut dire, gérer le déséquilibre. » Déséquilibre tenant au fait que la vie sociale évolue très vite, tandis que les structures d'Etat qui l'encadrent s'obstinent à la freiner pour subsister telles quelles, plutôt que de se renouveler par leur interaction à son contact. Gérer le déséquilibre, c'est substituer une politique active et diversifiée, répondant à des situations différentes par des projets différents, à une politique d'inertie centralisatrice plaquant sur tous les problèmes, par paresse, des solutions préfabriquées. L'Etat ne peut plus désormais se passer des hommes et des groupes, des communautés d'initiative où les hommes cessent d'être des individus collectivisés pour redevenir ces personnes responsables qu'ils n'auraient jamais dû cesser d'être. C'est à l'Etat d'aider ces communautés à se former, à s'enraciner, « puisque, en définitive, c'est lui qui détient le pouvoir de défendre l'autonomie de la personne face à l'organisation et à l'uniformisation que développent ses ambitions industrielles et ses propres structures ».

Visant à « susciter des personnalités inventives, à désaliéner la "créativité" », cette politique d'action culturelle ne peut être que globale : l'enseignement, la formation, l'information, le travail, le logement, le loisir, les revenus, l'urbanisme, le mode de vie, autant de domaines qui à divers degrés dépendent d'elle, selon le rapport. Elle concerne toutes les formes d'activité humaine et tous les âges de la vie. S'il est bien évident que le projet culturel ne déterminera point, à lui seul, la politique générale et sectorielle de l'Etat, il ne l'est pas moins que ce projet l'infléchira dans son ensemble et la coordonnera en de nombreux secteurs. Il la rendra plus « évolutive », capable de faire leur place à la recherche et à l'expérimentation autonomes, et de s'intégrer l'initiative privée sans entraver son épanouissement.

Le projet culturel ne serait qu'une aliénation de plus, et la plus grave, s'il favorisait une mainmise idéologique, chose possible même dans une société qui n'a pas de philosophie d'Etat. Certain type d'information, certaines obsessions publicitaires portent en germe une telle aliénation : imaginez un « conseil de sages » déterminant, au nom des sciences humaines par exemple, ce que devrait être une « culture de masses » *valable,* comme on dit. Pour pallier ce danger — toujours possible puisque l'Etat, dans toute action culturelle importante, sera un partenaire essentiel —, la politique culturelle sera pluraliste dans son principe, décentralisée et contractuelle. Pluralisme des disciplines, la culture ne se réduisant plus au seul domaine de l'art, mais s'étendant aux autres formes d'invention, la science, la technique, le sport, l'artisanat, le travail ennobli par un sens. Pluralisme des idées, qui rende « la parole à la parole » et favorise les échanges d'informations entre les individus et les groupes pouvant se communiquer des éléments de savoir ou d'expérience mutuellement profitables ou enrichissants. Ce tissu d'échanges, qui pour l'instant n'existe pas, suppose une forte participation locale, une variété de formes d'association que les collectivités de base choisiront d'après leurs propres buts. « Donner aux collectivités locales et à des associations d'usagers les moyens techniques et financiers de création comme de gestion des services collectifs constitue vraisemblablement le seul moyen de stimuler les initiatives et de provoquer une adéquation entre les ressources et les aspirations. »

Ces collectivités, ces associations, ne seront pas subventionnées de manière arbitraire, mais liées à la puissance publique par des *contrats*. Les équipements dont elles se doteront, les moyens dont elles auront besoin pour fonctionner seront partiellement pris en charge par la nation, à condition d'être conformes à son dessein culturel d'ensemble. A l'intérieur de ce dessein, l'initiative des entreprises et des équipements ne viendra pas des grandes administrations mais des petites communautés elles-mêmes, qui définiront et réaliseront leur projet avec l'aide mais non d'après les directives de l'Etat. « Ceci implique l'acceptation de l'originalité, de la polyvalence, de l'empirisme, et la renonciation à la fonctionnarisation de la culture et à la conception selon laquelle ses services publics seraient les bâtiments et pas les hommes. »

La *vie locale* fournit donc le lieu, les hommes, les rythmes qui vont faire d'une idée féconde un espace, une volonté, une durée. Et la *région* donne à de telles entreprises un cadre plus vaste que les collectivités locales, et moins vide que l'Etat ; si la notion de « district culturel » est retenue parallèlement à celle de « district scolaire », il sera facile de développer, tout en respectant la diversité des projets, des solidarités qui rendent l'effort commun moins coûteux et plus efficace que des actions en ordre dispersé. C'est pourquoi le rapport souligne l'intérêt de ce qu'il nomme équipements *polyvalents* ou *intégrés*. En réunissant dans un même ensemble immobilier des équipements et des fonctions jusque-là séparés dans l'espace et affectés à des clientèles différentes, on fait plus que de réduire les frais d'emploi, on conduit des services qui s'ignoraient hier à collaborer à la même tâche dont ils commencent ensemble à concevoir l'unité. Que l'école, la bibliothèque, le gymnase, le centre social, les salles d'exposition constituent un même centre socio-culturel ; que certains locaux soient aisément transformables, par exemple le gymnase en salle de théâtre ou de concert, la salle d'exposition en salle de cinéma ou en audiothèque ; si de plus un tel ensemble est situé dans un jardin comportant des terrains de jeu, il devient vraiment un cœur d'activités qui attire tout à lui et qui peut, sous des formes variées, alimenter en hommes, en idées, en matériel, des initiatives périphériques. Sa réussite « implique expressément des structures relationnelles nouvelles entre l'ensemble du système scolaire, le groupe familial, la population, et tous les organismes qui concourent, à des titres divers, à l'animation socio-éducative et culturelle ». Il faut donc inventer des règles de *gestion communautaire* qui, progressivement, remplacent ou assouplissent les relations trop rigides imposées par les catégories administratives entre l'Etat et ses « partenaires sociaux ». Il faut aussi, pour fortifier ces nouveaux rapports et en étendre l'heureuse influence sur l'appareil entier de l'Etat, que ces ouvriers d'un champ où tout est à créer de la seule conviction spirituelle, aient confiance dans la volonté de rénovation que professent les responsables du pouvoir. Cette confiance dépendra de la qualité des intermédiaires entre la tête et les membres : c'est donc aux fonctionnaires, en définitive, qu'il revient de se « dé-fonctionnariser » dans leur fonction, pour approfondir la notion même de service public.

Au sommet de cette pyramide d'efforts, le ministre des Affaires culturelles n'est plus le simple gérant de quelques secteurs du patrimoine et des arts, mais *le garant de la vie culturelle de la nation.* Ce prestige spirituel lui confère une autorité que le Premier ministre a tenu lui-même à définir : « Veiller à la coordination des activités culturelles de l'Etat », c'est cesser d'être le parent pauvre du gouvernement ou mieux encore, tout en restant pauvre, exercer un magistère idéal sur les actions en matière culturelle des autres ministères et services.

Le ministre des Affaires culturelles, dont l'influence jusqu'ici avait la maigreur de son budget, devrait, en toute logique, pouvoir susciter l'élaboration d'une politique cohérente de la culture à l'O.R.T.F., élaboration de plus en plus nécessaire à mesure que s'élargit le champ de l'audio-visuel. (Cette politique, l'Office verra bientôt, mais bien tard, qu'elle eût été pour lui le seul moyen de concurrencer une technique dont on mesurera en perspective, d'ici dix ans, les foudroyants et dangereux progrès[1].) La plus grande difficulté, pour le ministre, sera sans doute de persuader certains grands ministères de la possibilité d'actions convergentes dont la conception globale dépendrait de lui. S'il est évident, comme l'écrit le rapport, que les grandes fonctions du ministère des Affaires culturelles « trouvent toujours une correspondance ou un prolongement dans les responsabilités spécifiques d'autres ministères ou services », il l'est beaucoup moins que cette correspondance et ce prolongement soient acceptés par eux comme allant de soi. Un travail patient d'information de la conscience publique pourrait accoutumer les services eux-mêmes à tenir enfin une vision culturelle d'ensemble pour autre chose qu'un mirage de l'imagination : pour la meilleure projection possible de la société en avant d'elle-même. Aussi, avec l'éloquence des chiffres, le ministre des Affaires culturelles doit-il faire entendre celle du cœur.

1. Il semble l'avoir compris, peut-être à la suite du rapport de la commission. Mais on appréciera diversement son association (en vue d'un monopole ?) avec un trust d'édition et de distribution (*Le Monde*, 27 octobre 1971).

ÉCRIT EN MARGE DU RAPPORT

Telles sont, brossées à grands traits, les principales propositions et certaines implications de ce rapport dont je ne crois pas avoir trahi l'âme. Comme président de la commission, j'en assume la responsabilité. Toutefois, mes réflexions personnelles m'autorisent à lui ajouter quelques notes en marge.

On a dit que c'était un rapport « démocrate-chrétien ». L'épithète n'a rien d'injurieux, mais elle me paraît trop limitative. Les mots « personnaliste et communautaire » conviendraient mieux à ce texte, où passe par endroits le souffle spirituel de la tradition socialiste française, refoulée par l'étatisme marxiste, mais dont la sclérose croissante des grands systèmes peut, par contraste, raviver l'actualité. Il y est dit expressément que la vraie fin de la société est la culture de ses membres, le mot *culture* étant pris dans une acception neuve et large qui englobe tout ce qui élève la vie. Ainsi la société a-t-elle un *sens :* dégager, par la coopération inventive du plus grand nombre possible d'individus, sa forme la plus haute, la plus humaine. Pour inventer, il faut prendre conscience de ce que signifient ces mots : *être ensemble,* fait essentiel de la société. Une société où l'on cesse d'être ensemble peut être un système de coercition très efficace, elle cesse d'être un corps social. *Etre* ensemble consciemment, inventivement, c'est travailler en commun avec conviction et réalisme, sur un plan déterminé mais solidaire des autres plans, à réduire sans cesse davantage les dangers de sclérose que tout Etat porte en lui. La culture, dans l'acception la plus ouverte de ce terme aujourd'hui redevenu germinatif, est justement le travail de critique et de création que la société ne doit cesser d'opérer sur soi, par l'intermédiaire de ses membres, pour épanouir cette supérieure raison d'*être* dont l'homme est la mesure, non l'Etat.

Le paradoxe d'un tel rapport est qu'il joue le rôle de cheval de Troie, puisqu'il introduit une conception anti-étatiste de l'Etat dans un Plan à tendance étatiste. Il ne peut mener cette conception jusqu'au bout car, en définitive, l'Etat n'est pas un partenaire à égalité avec les autres, il reste maître du jeu dont il concentre presque tous les moyens dans ses mains. Les autres partenaires seront toujours en situation de demandeurs, voire de quémandeurs, tant qu'un changement radical de psychologie sociale ne se sera pas produit dans les bureaux qui contrôlent l'appareil et les ressources du pouvoir. Notre rapport, à leur endroit, est une tentative de pédagogie, mais embarrassée et timide, malgré l'énumération faussement péremptoire des obligations dont, à l'entendre, doit se charger la puissance publique. Cet embarras n'existerait pas si les partenaires culturels n'étaient, dans la situation présente, obligés de tout solliciter même s'ils feignent d'exiger.

Admettons que les plus hautes autorités de l'Etat, comme nous l'assure M. Chaban-Delmas, préparent sa refonte progressive au moyen de la participation et de la concertation. La concertation suppose le respect de l'opinion publique et l'information honnête de celle-ci. Tout le monde sait que le contraire est le plus souvent vrai : on pourrait multiplier des exemples de « concertation » faite pour donner le change, voire de mépris flagrant de l'opinion. Cela est particulièrement sensible quand il s'agit d'urbanisme ou d'environnement : la défense de certains sites, le maintien de l'équilibre du milieu urbain, portent atteinte à de grands intérêts dont certains sont peut-être défendables : mais qu'alors on les explique et les justifie, et que l'on s'engage à leur imposer un cahier des charges connu de tous. Nous en sommes encore très loin.

Cette véritable conversion du pouvoir devrait s'accompagner chez les citoyens d'une conversion à eux-mêmes. Il leur faut sortir de leur situation d'éternels mineurs. Mais comment se déshabituer de tout attendre de l'Etat quand on ne peut rien faire sans lui ? C'est le cercle vicieux où risque de s'enfermer l'action culturelle quand elle cherche, ce qui est d'ailleurs très légitime, à sortir du cadre artisanal pour devenir un facteur d'évolution sociale qui se voudrait décisif. Revenons à l'adage : « Aide-toi, le Ciel t'aidera. » En pratiquer la première moitié, c'est se donner le droit de demander son aide au ciel. Rien ne se crée sans une foi qui à certains peut paraître aveugle face aux données « concrètes » où l'échec semble inscrit. Car ce risque est le moteur de la création, l'énergie qui doit un jour déranger l'inertie des bureaux et la fatalité des mécanismes. Le dévouement, l'entêtement, la folie, attirent tout à la longue, même l'argent. Et quand même l'argent ne viendrait jamais, l'effort en soi est un bien qui lui est incommensurable.

Aucun effort spirituel n'est perdu : une communauté peut s'approfondir dans l'invention que lui imposent des moyens pauvres. On a ri, on s'est scandalisé de Michelet faisant l'éloge de la pauvreté au théâtre : on a eu tort. Il est peut-être nécessaire d'entretenir, pour le prestige, des théâtres nationaux en continuel déficit : mais si le théâtre devient ce qu'il peut être, une forme populaire d'expression culturelle, ce n'est pas à des subventions massives qu'il le devra, c'est à l'exigence esthétique et à la générosité d'âme de ceux, acteurs, animateurs, techniciens, metteurs en scène, qui, malgré toutes leurs déceptions antérieures, sont toujours capables de repartir presque à zéro pour cette forme d'amour de l'homme qu'est l'amour de l'art [1].

Je dis : *presque* à zéro, non à zéro. Les centres socio-culturels pourront servir de support à ce qui doit rester une aventure, mais non une aventure désespérée. Ils soutiendront non seulement les hommes de théâtre, mais les peintres, les sculpteurs, les poètes, les danseurs : tous ces artistes ont besoin d'une maison dont ils soient les hôtes ; ils ont surtout besoin de donner l'essentiel, c'est le public qu'il faut habituer à les recevoir, à le recevoir. Quand il aura pris cette habitude, ce qui ne va guère de soi en un pays dont la vertu maîtresse n'est pas l'hospitalité, alors peut-être apprendra-t-il lui-même à se donner pour mieux recevoir cet essentiel qu'on lui donne. En attendant, ces artistes tout disposés à se donner, il faut les aider à se donner pour rien. La solidarité culturelle ne serait qu'un mot si les centres n'avaient pour premier souci de développer, par le biais d'activités apparemment plus « en prise » sur les « problèmes » de notre époque technicienne, le seul travail communautaire et personnel dont le sens manque à celle-ci, le travail de l'esprit sur soi.

Reste que, fût-il modeste, un centre éducatif a besoin d'argent pour s'équiper et fonctionner ; et qu'il vaudrait mieux que cet argent ne vînt uniquement ni de l'Etat ni même des collectivités locales. Que peuvent faire les comités d'entreprise ? Qu'attend le patronat français ? Sa réputation de générosité n'a jamais été grande, et peut-être l'Etat ne l'encourage-t-il guère à celle-ci, comme il le pourrait par certains aménagements fiscaux. La Fondation de France, gérée pour un tiers par l'Etat, pour un tiers par les banques, le dernier tiers de ses administrateurs étant choisis à titre personnel, est jusqu'ici la seule tentative, d'ailleurs larvée, de servir d'intermé-

1. L'amour de l'art et de la beauté est inné chez certains ; chez la plupart, il s'éduque et se développe. La diffusion de la culture n'a rien à voir avec la généralisation de l'amateurisme.

diaire entre petits mécènes et associations culturelles. Jusqu'ici, les donations qu'elle a reçues sont des plus modestes si l'on pense à l'ambition qui doit être la sienne ; elle-même ne dispose, pour les subventions qu'elle distribue en son nom propre, que d'une somme de 500 000 F par an, insuffisante pour amorcer les générosités qu'elle se propose d'éveiller en France. Pourtant Ricard finance Bendor, Berliet a créé un centre culturel à Sénanque, la compagnie de pétroles B.P. soutient des manifestations et des concerts. L'annuaire des Fondations françaises est un gros in-octavo de trois cents pages : sans doute sont-elles trop spécialisées, trop émiettées, pour jouer à l'échelle nationale un vrai rôle d'incitation ? Le rapport ne pose nulle part la question pourtant vitale de la part que pourrait prendre l'entreprise privée dans les investissements culturels. Tout au plus suggère-t-il que le financement de l'éventuelle Fondation nationale de la création artistique soit « assuré entre autres par le prélèvement d'un certain pourcentage sur *toutes* les commandes immobilières publiques ». J'avais proposé qu'une partie du budget de publicité des grandes entreprises fût affectée à des fins culturelles, quitte à reconnaître ce « don » sous forme de publicité gratuite selon des modalités qu'il serait aisé de définir. Que le capital soit incité à financer la culture n'est après tout qu'un moyen pour lui de concourir à la formation de nouveaux rapports de travail et, progressivement, à *cultiver* le travail lui-même.

Ainsi notre rapport aurait-il dû davantage, me semble-t-il, montrer quels stimulants employer pour que le projet culturel devienne un souci vital des Français, au même titre que l'enseignement obligatoire ou la sacro-sainte sécurité sociale dont nul aujourd'hui ne conçoit de se passer. Or, pour l'instant, il faut le reconnaître, la culture, aux yeux du grand nombre, est quelque chose qui n'est pas pour eux. C'est Paris, ce qu'on y joue, ce qu'on y voit, les théâtres chers, les expositions, les musées ; ce sont des arts avec lesquels on n'est pas familier, le ballet, la grande musique ; ce sont les festivals pour bourgeoisie de province, les concerts vaguement mondains dans de petites chapelles restaurées... Bien sûr, je caricature. Mais lisez les pages si intelligentes que publient sur les lettres et les arts certains journaux favoris des intellectuels parisiens et dont la parisianité flatte le snobisme de leurs imitateurs de province, et demandez-vous si cette critique abstruse à plaisir, cette sociologie savamment faisandée, peuvent apprivoiser à la culture un habitant de Merlebach ou de Mont-de-Marsan. Or, puisque projet culturel il y a, c'est à Mont-de-Marsan qu'il devrait prendre corps, proportionnellement autant qu'à Paris. Et ce qu'il concerne, ce n'est pas l'extension à Mont-de-Marsan des dernières modes intellectuelles parisiennes, mais la création à Mont-de-Marsan, par les habitants de cette ville, de facilités sociales qui donnent à leur vie sur place un peu plus de sens, un peu plus d'être. La culture, à Mont-de-Marsan comme à Paris, c'est la façon la plus *juste* de vivre *ici*, et cette justice, cette justesse, impliquent une expérience de l'homme, profonde, diversifiée ; de cet être aventuré qui se pose à lui-même sur tant de plans la question de son être et de l'être ; qui aspire à la plénitude personnelle, à l'harmonie de ses rapports avec l'univers. (En ce sens, je connais des ouvriers et des paysans plus cultivés que bien des intellectuels.) On peut se poser ensemble cette question de bien des manières, et c'est un seul et même effort qui réunit des individualités souvent très différentes tantôt pour préserver la qualité du milieu urbain ou la beauté spirituelle d'un paysage, tantôt pour jouer *Rhinocéros* ou étudier comment humaniser les conditions du travail. Contre les moqueurs et les blasés, il faut oser dire que la culture est une éthique généralisée de la vie sociale, un civisme supérieur. Développer dans tout le pays ce civisme culturel, ne serait-ce pas une des premières tâches d'un ministère que vient de consolider le VIe Plan ? Et pour cela, quel meilleur instrument que l'O.R.T.F., dont la régionalisation pourrait très vite rendre aux provinces leur visage, leur identité, c'est-à-dire leur confiance en soi ?

Il me reste à dire le plus difficile, qui n'a guère sa place, même en marge, dans un rapport de planification. Comme tous les Français, j'aime les *plans :* dès mon enfance on m'apprit à en faire. Ces beaux schémas théoriques semblent tout mettre en ordre, tout contenir : c'est comme si la chose était faite. Or, à ce moment où tout est *fini,* où le réel n'attend que d'être découpé en tranches, une inquiétude me vient, un refus du bel ordre : je sens que non, le réel ne se laisse pas faire, il nous échappe et nous laisse captifs des grilles faites pour l'emprisonner. Mon souci constant de l'ouvert s'accommode mal du papier quadrillé des rapports, et mon besoin d'ordre voit au contraire, en toute chose qu'il n'englobe pas, un principe d'effritement. Pour certains, cette contradiction serait paralysante : j'en suis venu à la croire féconde, car la tension entre l'ordre et ce qu'il ne peut intégrer du réel conduit à des approximations successives qui, de proche en proche et de plus en plus fondamentalement, contraignent l'ordre à se *re-former* du dedans. C'est pourquoi je suis radicalement réformiste : à mes yeux, le seul ordre qui vaille est inséparable de sa propre vigilance critique, qui l'oblige à se remettre en question. Dans le cas précis de ce rapport, j'estime qu'il rend possibles à court terme des réalisations qui, d'ici dix ans, modifieront le comportement civique des Français et redonneront vie à l'idée de Cité séculière. Je souhaite donc ardemment que ses suggestions soient reprises par qui de droit, avec les modalités d'application qu'elles exigent. Mais ce ne seraient jamais que des ornements de façade sur une société toujours plus pétrifiée, si le projet culturel ne posait du dedans, à cette société qui inconsciemment se dégrade, la question : *To be or not to be ?*

Je parlerai donc de la pauvreté. J'en parlerai même plusieurs fois dans ce livre. La pauvreté peut être une vertu : de nos jours, elle est pour la plupart des gens un scandale. Et d'abord, cela va de soi, pour ces pauvres que l'on ferait rire amèrement si on leur disait qu'elle peut être une vertu. Le fait brutal est que ce monde tolère de moins en moins les pauvres. Avoir l'air pauvre est un luxe que plus personne, psychologiquement, ne peut plus ou n'ose plus se payer. Pire que la ségrégation raciale est celle que pauvreté inflige. J'en donne exprès l'exemple le plus banal, celui qui passe le plus inaperçu. Le pauvre, ce piéton absolu, sent s'étriquer irrésistiblement sous ses pieds l'asphalte des trottoirs, le pavé des berges ; à la campagne, il s'est vu d'abord refouler sur les bas-côtés des routes, d'où les autos l'ont bientôt victorieusement chassé comme une espèce en voie d'extinction. S'il y avait encore des chemins ! mais ce ne sont que tronçons qui se perdent ; aucun ne mène plus à Rome. Dans notre système où l'industrie automobile connaît une poussée démographique qu'aucune pilule n'a enrayée jusqu'ici, le pauvre est celui auquel le moindre déplacement pose un problème, car on espace le trafic des autobus en ville, on supprime, à la campagne, les chemins de fer et les autocars d'intérêt local. Le pauvre est celui qui ne peut aller nulle part, dont le lieu — quartier ou village — s'est vidé de sa substance et avec elle de tout esprit de fête. Les centres où l'on se rassemble pour la fête, tout altéré qu'en est parfois l'esprit, sont toujours *ailleurs*, à trente ou cinq cents kilomètres. Faut-il croire que de plus en plus la seule fête, l'anti-fête, le *perpetuum mobile* de cauchemar, soit le cortège de chenilles processionnaires qui s'étire vers des buts toujours plus improbables, entre des lieux inexistants ?

Or, contrastant avec cette fausse mobilité qui se fige au point qu'il n'y aura bientôt plus d'animé que l'écran de télévision, voici reparaître un phénomène très ancien, une richesse de pauvre : *le sens du pèlerinage*. Cela a commencé par l'auto-stop pratiqué au hasard, qui vous mène où le conducteur vous arrête, et l'on finit bien, d'errance en errance, par revenir à son point de départ ; puis des destinations se précisèrent, Avignon, la Grèce, Katmandou ; puis l'idée s'intériorisa, le lieu devenant le symbole d'un but, et la difficulté de l'atteindre étant perçue non plus passivement, comme une série d'obstacles que le hasard capricieux élève et tourne, mais activement, comme une expérience du réel et une épreuve pour la volonté. Des *hauts lieux*, certains vite célèbres, comme Taizé, d'autres inconnus sauf d'un petit nombre que chaque année l'amitié fait grandir car leur existence est une bonne nouvelle, voient converger, venus souvent de très loin, parfois de toute l'Europe, du monde entier, des jeunes gens et des jeunes filles qui, dans notre société que son abondance encrasse, retrouvent d'instinct l'esprit et les gestes franciscains.

Je me permets de ne pas être d'accord avec M. le ministre des Finances quand, aux applaudissements d'une majorité bourgeoise, il déclare à l'Assemblée nationale : « La remise en cause de la société de consommation est une idée typiquement issue de la bourgeoisie nantie. C'est, en réalité, la fleur malsaine des beaux quartiers. » Comme lui je crois que pour certains fils à papa et certaines « Bécassines de gauche », selon la jolie formule de Claudine Jardin, dénoncer la société de consommation est une pose qui va très bien au propriétaire d'une voiture à grosse cylindrée. Mais, le ministre même nous y invite, « derrière ces apparences, recherchons la réalité, celle que cache l'événement mais que, le moment venu, décrit l'histoire ». Recherchons la réalité : approchons-nous d'elle autant qu'il nous est possible, malgré la myopie de notre vision, c'est-à-dire souvent de nos préjugés. Peu importe que de jeunes nantis fassent la fine bouche devant une société de consommation qui leur donne tout : ce qui est important, ce qui est incompréhensible pour les Bernardone de toujours, c'est la hâte franciscaine, chez leurs fils, de se défaire de tous ces biens durement acquis, grâce auxquels s'est tellement amélioré le sort des hommes. Cette jeunesse ne sait pas ce qu'était la condition d'une femme du peuple il y a trente ans ? Elle ne sait pas ce que fut la guerre ? Cela est vrai, et le fait de le savoir rend les hommes de mon âge moins injustes envers la société de consommation. Mais si ces jeunes, à commencer par ceux des beaux quartiers, étaient en train d'accomplir sous nos yeux, obscurément ou en toute conscience, un acte symbolique de libération intérieure dirigé non contre les biens consommables, mais contre leur engorgement, leur excès ? L'histoire décrit, le moment venu, ce qu'avaient annoncé certains signes. Ces signes, je les vois fleurir parmi nous. Ils revendiquent un bien inaliénable, la vertu de pauvreté.

La vertu de pauvreté : la frugalité du corps et de l'esprit. Dans le monde de l'abondance, cette vertu est l'antidote de la satiété : un art de limiter ses désirs, de mesurer ses besoins. Un emploi juste des biens utiles, le détachement de ceux qui ne le sont pas, le sens de la gratuité de l'essentiel, qu'il s'agisse de la pensée, du sentiment ou de l'art : et par là même une sensibilité plus éveillée, une concentration plus grande, une attention mieux posée, un cœur munificent parce qu'il est sobre. Il y a, certes, des biens qui sont des bienfaits : tels ceux qui depuis un quart de siècle ont tant facilité l'existence des hommes et plus encore des femmes. Il ne peut être question de les rationner : tout au plus de rapprendre à s'en passer pour en être libre. Et aussi d'éviter que le commerce n'exploite leur nécessité en les fabriquant tels qu'ils durent le moins possible. Il est d'autres biens — la télévision, l'automobile — dont il faudra maîtriser l'emploi. Ce n'est point aisé : mais peut-être leur expansion envahissante y forcera-t-elle malgré eux leurs utilisateurs. Il est enfin des biens qui étouffent : une partie de notre énergie psychique se dissipe, sans que nous en ayons conscience, à nous défendre de leur encombrement. Nous n'en avons pas besoin : ce sont des parasites de l'âme ; ils l'empêchent de vivre, de créer. Ils l'empêchent de jouir de l'essentiel.

Trop de choses s'achètent et se vendent ; les hommes se dépensent à trop d'occupations ; un seuil de saturation est atteint dans le développement du *possible.* Maint signe paraît montrer que nous avons passé le haut de la courbe. Celui-ci par exemple : à la demande du gouvernement japonais, une commission d'experts est chargée d'étudier les plans d'une production limitée aux besoins véritables. C'est moins là prophétiser la pénurie que pressentir la sagesse. Si une partie de la jeunesse moderne est sans grands besoins, c'est pour se libérer qu'elle se désencombre, et pour dégager ses aspirations.

Une adolescente de dix-sept ans m'écrit d'un ermitage des Cévennes : « Actuellement, chez Jacques Touraille, nous déblayons de vieilles maisons enfouies sous les ronces et sous les tonnes de gravats. Ce genre de travail me *passionne :* le mot est exact. J'ai l'impression de faire quelque chose et surtout *d'apprendre* quelque chose : ce qui est très rare. Car d'ici trois ou quatre jours je pense que le déblayage sera terminé et que nous commencerons la construction de la charpente et l'aménagement de l'intérieur d'une grange et d'une maison... Nous sommes dans un endroit complètement isolé au cœur même des Cévennes. Le temps est superbe et la beauté du paysage grandiose... Jacques Touraille travaille à la traduction et à la création d'une philocalie française sous la direction d'André Scrima et d'un père cistercien du nord de la France... »

Voilà une lettre facile à comprendre, sans recours à la sociologie. Elle pourrait en revanche renseigner les sociologues sur cette « conversion intérieure » que, nous dit l'un d'entre eux[1], l'homme d'aujourd'hui « est sommé d'opérer », conversion qui « est bien autre chose qu'une adaptation psychologique au nouveau milieu ». Bien des gens — dont nous-mêmes peut-être — sont en quête, « en recherche » comme on dit à présent. « Recherche » qui peut dévier vers telles formes dont se délectent les jour-

1. Georges Friedmann, *La Puissance et la Sagesse,* Gallimard, éd.

nalistes voyeurs. Ceux-là savent que l' « objectivité » salace profite : ils vendent leur papier, c'est leur métier. Mais peu importent les accidents de parcours, les déviations dont certains voudraient bien qu'elles fussent le vrai sens de la quête, parce que le vrai sens, qui est conversion, est gênant. Parce qu'il oblige.

Vers quoi vont-ils en pèlerinage, ces jeunes ? (Le pèlerinage peut se faire sur place, à travers le désert d'une ville, non dans l'espace mais dans le temps intérieur.) Ils vont vers la communauté concrète, vers cette fraternité qui s'exprime par la participation manuelle à une œuvre commune : par exemple, symboliquement, le défrichement d'une terre, la construction d'une maison. C'est à se demander s'ils ne pressentent pas un état de choses à venir où de tels gestes seront les seuls nécessaires, qui pour eux sont dès maintenant les seuls vrais. Ils pensent avec les mains, comme le voulait Denis de Rougemont : ils apprennent le réel avec leurs mains, avec leurs muscles, leur fatigue et leur sueur, et non plus uniquement avec ce cerveau qui, fonctionnant seul comme il en a trop pris l'habitude, ne fabrique plus que de l'abstrait, de l'irréel. Implicitement, leur témoignage s'inscrit en faux contre toute leur formation scolaire : si la formation permanente, demain, devient un des secteurs de la culture, c'est de là qu'elle devra tirer enseignement. Un travail d'équipe se poursuit, qui pour tous et chacun a un sens créateur : ce travail est leur demeure. Bah ! dira-t-on, du travail de vacances... Oui, mais tellement plus efficace, plus joyeux et fécond que le travail de classe, bien que plus pénible pourtant. Encore une leçon simple et gênante à tirer sur l'attitude à l'égard du travail selon qu'il est libre ou servile, qu'il a un sens ou non pour celui qui s'y donne ou s'y force ; selon qu'il appartient à l'ouvrier ou que l'ouvrier lui appartient !

Cette lettre parle d'autre chose : de nature, de contemplation, de silence. D'autre chose ? non : de toutes ces choses qui ne font qu'un avec le travail. Elle parle d'une réalité pleine, à la mesure de laquelle les hommes trouvent leur vraie proportion. Il se peut que dans cette nature, dans ce silence intérieur semblable à celui qui règne autour de moi, tout bruissant de cigales — rythmé, au fond du bosquet, par le moteur d'une pompe d'arrosage —, ce que j'écris ici sur la culture et sur les nobles ambitions du rapport apparaisse bien bruyant, bien professoral, « hors du coup ». Que la « culture » ainsi codifiée fasse l'effet d'un brontosaure analogue à ce qu'est l'école : une super-école pour adultes, un Etat pire que celui d'aujourd'hui en se croyant meilleur, mué en Usine-Université monstrueuse où tout un chacun, du premier cri au dernier soupir, serait obligé de se « cultiver ». Dieu nous préserve de toute exigence culturelle excessive de l'Etat technocratique pour ses sujets ! Qu'il s'agisse de propagande ou de savoir, cette « culture » imposée est la plus stricte façon d'insérer l'homme dans la fabrique sociale. Ceux qui, demain, auront à proposer une politique concrète de la culture ne veilleront jamais assez aux formes inédites d'aliénation que la meilleure volonté du monde peut s'arroger le droit d'inventer.

En fait, les mots-clés de la culture ne sont pas éducation, connaissance, divertissement, mais contemplation, silence, joie. Les trois premiers correspondent à des activités, les trois derniers désignent des états de l'âme. On peut certes aller à ceux-ci par celles-là, passant ainsi d'une occupation fragmentaire à un acte unifiant de l'esprit, d'une énergie concentrée sur un objet au puissant épanouissement de tout l'être. Puissant, et souvent secret. Cet épanouissement suprême est l'idéal vers lequel pointe la culture, entendue comme le mode de vie potentiellement le plus humain. Mais le plus honnête projet culturel ne peut que préparer, comme en creux, les conditions de ce passage à la limite qu'est la découverte mystérieuse de l'être, réservée à ceux qui, au seuil, se dépouillent de tout ce qui les avait menés jusque-là.

Le projet culturel n'est tout au plus qu'une remise en cause, c'est-à-dire une remise en forme, de la société par elle-même. Certes, il peut introduire dans l'être social certains mots transcendants que celui-ci d'ordinaire ne supporte pas. Il peut, il devra se mesurer avec certaines idoles : l'accélération du progrès, l'orgueil cosmique, le nihilisme individuel. Il peut aider les hommes à penser l'homme ; voire à se poser la question de celui-ci, telle que la formule Joseph Delteil : « Quel instinct pousse l'homme à se faire homme comme Dieu même s'est fait homme ? [1] » Et c'est beaucoup : c'est chose immense. Porter l'homme à sa propre frontière, donner aux hommes quotidiens ce frisson devant leur mystère, ce frémissement radical de terreur ou d'enthousiasme, pressentiment conquérant ou nostalgique d'une infinie dignité, voilà bien la raison d'être, le devoir de la culture. Mais une fois l'homme parvenu à sa frontière, *la culture qui l'y a mené se tait.* Elle n'est ni la Pâque de l'esprit, ni le substitut de cette vie intérieure qu'elle peut aider à découvrir, mais que nul ne vit en miroir par elle. Pour mettre en œuvre un projet culturel de masse, il faudra donc associer enthousiasme et humilité.

Humilité qui peut consister, entre autres choses, à ne pas laisser prendre des vessies pour des lanternes, la « créativité » diffuse pour la force authentique de création. Que beaucoup aient des dispositions artistiques et les cultivent, c'est bien. Un centre polyvalent doit comporter des ateliers, des bancs d'essai, des salles d'exposition pour leurs productions diverses. Mais si leurs auteurs prétendaient confondre ces exercices avec le travail créateur d'une vie, leur montrer de la complaisance serait abaisser la culture au niveau de leur vanité. La vraie sensibilité, qui s'apprend, est respect de la vocation spirituelle, joie d'admirer qui intériorise les grandes œuvres dans l'âme de leurs admirateurs. A notre époque

1. Joseph Delteil, *François d'Assise*, Flammarion.

égalitaire par le bas, le projet culturel, manipulé par des agents indifférents à l'ordre des valeurs, risquerait fort d'écraser la culture. De là vient sans doute la méfiance qu'il éveille chez tant d'artistes qui s'en tiennent prudemment éloignés.

Si l'expansion de la vie culturelle doit développer la capacité d'être de chacun, ce n'est pas pour étouffer « l'art personnel, les âmes singulières », mais pour donner à tant d'âmes humaines qui s'étiolent avant de s'ouvrir la chance d'être plus que des individus : des personnes. Certaines, plus hantées d'absolu que les autres, se détacheront de nos solidarités immédiates et sans doute s'isoleront-elles toujours en vue d'une plus haute universalité. Honorer leur singularité universelle comme une des formes de l'honneur de l'homme ne diminue en rien ceux qui ne la possèdent pas, mais les y fait participer. Eux-mêmes en possèdent peut-être une autre qu'ils ignorent, trop modestes, trop donnés aux autres pour protéger ou absolutiser leur personne, comme le font, par nécessité fonctionnelle, tels artistes ou penseurs égocentriques sans qu'ils s'en doutent, bien que témoins véridiques de l'ouvert. Cette singularité de chacun, ce peut être la grâce psychique du corps, la bonté de l'intelligence, ou l'attention sympathique au vivant, ou l'art de comprendre et d'humaniser les hommes, ou encore l'intuition de l'ordre des choses, la prévision scientifique, voire la divination : et bien d'autres talents *qui se cultivent*.

En vérité, les hommes ne savent pas tout ce dont l'homme est capable en eux. Il l'est même d'amour et de paix : la culture est une façon de nous le révéler. Et de nous apprendre que, chez beaucoup, les puissances latentes ne font surface que lorsqu'ils peuvent les partager. Ce besoin de partage est foncier à notre esprit, lequel est universellement en osmose. Même l'artiste apparemment solitaire, mais dont la solitude lui permet, en hauteur et en profondeur, de capter en l'homme des courants que l'attention extérieure ne perçoit pas, peut s'apprivoiser à ces autres qu'il fuit par crainte de se laisser distraire. Il suffit souvent qu'il se sente accueilli comme le médiateur qu'il est, pour que ces autres si différents de lui-même l'entendent et en soient entendus. S'il est l'objet d'une curiosité frivole, que les curieux n'attendent rien de lui. Mais s'il est reçu avec respect, il se donnera de même, et bien des fois les autres le combleront plus encore qu'il ne les aura comblés.

On reconnaît une équipe, une communauté, à ce que, par la vertu de l'échange, la richesse de son âme collective dépasse la somme des dons de chacun. L'animation culturelle ne consiste pas à faire croître inconsidérément les prétentions individuelles, ce qui créerait vite un tohu-bohu de médiocrités ; mais à faire jaillir les esprits comme des sources les uns pour les autres. Car le talent de vivre est un don supérieur, une grande énergie communicative : il peut atteindre au génie, à la sainteté, en des êtres essentiellement anonymes. Anonymes pour le vaste monde et sa gloire qui n'est que bruit : mais anonymes *essentiellement*, plongés à la source de l'homme, connus par leur « petit nom », par leur nom de baptême, dans les communautés où ils irradient. A de tels animateurs, je suis reconnaissant de leur foi dans l'homme, qui me fait plus homme. Il n'est peut-être pas inutile de dire ici qu'on ne saurait les recruter ni les juger ensuite dans leur fonction selon les règles ordinaires du fonctionnariat. Leur métier est une vocation véritable. Faciliter entre les hommes la mise en commun de la connaissance, de l'invention, du silence, de l'émerveillement ; accroître en chacun le rayonnement de la forme humaine, telle est leur tâche culturelle qui demain devrait s'accomplir partout : à l'école, sur le terrain de sports, dans les organismes de planification urbaine, au même titre que dans les centres spécifiquement culturels. Encore faut-il, pour amorcer parmi nous cette tâche, s'efforcer de la rendre plausible à l'esprit d'une opinion peu accoutumée à ce qu'on lui parle raison en termes de cœur.

RÉINVENTER L'HUMANISME

TROIS LETTRES ET UN COMMENTAIRE

Le Monde est, en France, la meilleure tribune intellectuelle qui soit. Il faut en demander l'accès : je ne l'ai fait que trois fois en vingt-cinq ans, lorsqu'il me semblait avoir quelque chose d'*universel* à dire. Cela peut arriver dans une vie. Au surplus, je suis paresseux quand il s'agit d'écrire par devoir : et je ne suis jamais certain de la portée concrète de mes « idées générales ». Il m'a fallu batailler effectivement toute une année pour être en état d'écrire les dix pages de certain article [1]. N'étant pas grand épistolier, je priais le ciel de m'épargner une avalanche de lettres. J'ai été exaucé au-delà de mes vœux. Si j'en juge par la minceur de mon courrier, la politique de la culture laisse indifférents une grande majorité des Français. Il est vrai que je n'en faisais pas un cheval de bataille contre le régime : en général, on ne parle de culture en France que pour attaquer celui-ci. Je reçus toutefois six ou sept lettres, dont trois m'ont particulièrement retenu. J'en donne ici de larges extraits : leur publication a pour moi valeur symbolique. Ces textes montrent comment des expériences diverses convergent vers un même idéal. Ou, pour le dire en d'autres termes, on sent que *le cœur y est.*

1. « Changer la vie », *Le Monde,* 29 mai 1971.

PREMIÈRE LETTRE

Paris, le 9 juin 1971.

Permettez au lecteur inconnu, de « la base » sociale, ces quelques réflexions personnelles, puisqu'il trouve à les écrire l'illusion de participer un instant à l'essentiel.

Réforme ou Révolution ? Qu'importe l'obscurité des mots. Votre idée de la culture (celle de tous les chercheurs d'évidence) s'oppose en effet au courant vertigineux de ce monde où nous vivons, où le « temps de vivre » est condamné, semble-t-il, pour tous. Progressivement condamné (mathématiquement) pour les hommes, aussi bien sur le plan de la société que sur le plan de la biosphère. Que la suprématie inconditionnelle de l'Humanité puisse aboutir à la destruction involontaire de la vie ou simplement des espèces animales supérieures, dont l'homme, — pouvoir envisager cela aujourd'hui, en prospective scientifique, c'est déjà un fait important.

On peut toujours en rire et hausser les épaules, mais n'est-il pas aussi ridicule, sinon plus, de croire à un destin prédestiné et véritablement « surnaturel » de l'Homme, libéré à sa guise des conditions biologiques dont il est issu, terrien chargé de mission universelle, et, comme tel, invulnérable pour l'éternité ?

La culture, c'est aussi l'accord avec les lois primordiales de la vie sur la terre. La culture ne peut être que l'expression permanente, sociale et individuelle de la vie terrestre incarnée dans l'humain, épanouie et exaltée par l'essor de son esprit. Culture globale transcendant la totalité de l'homme vivant, sans cesse enrichie et recréée par la communauté des êtres, par le brassage des individualités réellement solidaires, extériorisées dans la communication. Rêve millénaire conscient-inconscient, interdit, refoulé par les impératifs des sociétés hiérarchisées, militarisées, vouées aux guerres de subsistance et à la perpétuation de l'esclavage.

Une telle éthique culturelle, mondiale, évidente et simple peut-elle jaillir de la profondeur des êtres désemparés d'aujourd'hui ? Chacun sait que — pas plus qu'hier — elle ne saurait descendre d'en haut, préfabriquée par des penseurs professionnels (même libres, même sincères), qui ne « savent pas » et ne « peuvent pas » éprouver la vie du plus grand nombre d'en bas. D'où le lamentable échec de la « culture populaire » (*sic*) qui prétendait vulgariser dans les « masses » les raffinements d'une culture de caste, créée et accumulée pour le plaisir aristocratique des privilégiés.

Oui, « le paysan et l'ouvrier peuvent être hommes de foi *autant* que le grand intellectuel ! » Au prix toutefois d'un effort gigantesque et dans la mesure où ils peuvent maîtriser l'aliénation qui pèse sur eux leur vie durant. Il ne s'agit plus ici de l'aliénation de la misère, de cette « sous-humanité » innombrable et laissée pour compte (le tiers monde, les bidonvilles d'Europe ou des U.S.A., etc.), non — il s'agit de la misère de l'aliénation du « prolétaire » moderne, embrigadé, conditionné, intégré pieds-poings-tête dans le labyrinthe technocratique.

Paysan, ouvrier, employé du tertiaire (hommes et femmes), mercenaires sans horizons d'une formidable « économie » anonyme, inhumaine et irresponsable — ceux-là peuvent être « hommes de foi » à condition d'en avoir le temps. Le temps de vivre.

Où trouver les conditions de la recherche et de la création personnelles, où trouver la paix intérieure propice aux sommets de l'esprit ? Comment « voler » à l'environnement social qui prend tout, ce « surcroît d'effort pour être » ?

Et puis, que vaudrait une foi sans espoir (à moins de Dieu, et qui soit vraiment « étranger » à ce qui se passe sur la terre) ? Alors, pour l'immense majorité : ceux (celles) qui perdent leur vie à la « gagner », les résignés du travail parcellaire, il ne reste que l'évasion, l'égoïste évasion de la sempiternelle corvée ! Ah ! vivement la fin de la semaine, vivement les vacances et, pour finir, vivement la retraite !...

Ils se sentent bien en dehors du coup. Non pas forcément troupeau aveugle, mais toujours blasé, prudent, dissimulateur. Que faire d'autre, après l'effondrement du grand espoir socialiste qui a marqué le début du XXe siècle ? Que croire dans cette confusion idéologique et ce mélange de publicité et de propagande des mass media ?

D'ailleurs qu'entend-on partout, inlassablement prêché par nos tout-puissants maîtres : « Enrichissez-vous, travaillez davantage pour consommer davantage, rentabilité d'abord, rentabilité ensuite, rentabilité toujours, produisez et investissez, etc. »

Voilà en fait la nouvelle culture omniprésente, popularisée et rendue psychologiquement décisive, selon laquelle le capital se retrouve « socialisé » dans les esprits. Permettre à tous de « faire de l'Argent », cela revient naturellement à « faire faire de l'Argent » par beaucoup pour quelques-uns.

Pour changer la vie : changer le monde. Rien de moins. Réflexe spécifique de santé (instinct, raison, intuition à la fois), chez quiconque dépasse un peu son petit « moi » et constate le processus catastrophique où s'est engagée notre Humanité.

Demain ? L'Humanité, monstrueuse termitière compartimentée par un système de castes, chacune conditionnée ; l'ensemble articulé, manœuvré, dirigé scientifiquement par une aristocratie technocratique souveraine ?... Immense usine-caserne « sécurisante » : sommet de la spécialisation maximum à tous les niveaux, de la rationalisation des races sociologiques, de la programmation enfin.

Apparemment, les mobiles ne manquent pas de vouloir renverser la vapeur. Mais pour qui ?

Votre prise de position répond « à l'immense espoir de ranimation qui s'ébauche », dites-vous, dans ce pays. Sans doute, cette aspiration commune (ou presque) à « autre chose » qui vaille la peine de vivre, peut-elle être assez souvent ressentie.

L'important est de savoir si tous ceux-là qui la ressentent ne projettent pas sur autrui leurs propres exigences spirituelles, s'ils ne reçoivent pas l'image réfléchie de leurs propres aspirations. Car ceux qui sont possédés par la passion d'assumer le monde et de l'exprimer : de le changer, trouvent facilement en eux-mêmes les justifications nécessaires. Pourvu qu'ils trouvent également l'œuvre à accomplir (qu'ils n'achèveront pas), cette action de tout leur être donne un sens à leur vie. Leur passion (altruiste, désintéressée) les dévore joyeusement.

C'est la foi ! Est-ce la certitude ?

Que chaque être humain puisse « être » (selon la pensée du poète, de l'artiste, de l'intellectuel enfin), ce nouvel humanisme libérateur (non plus « bourgeois » : humain), n'est-ce pas seulement encore l'utopie de quelques « anormaux », prophètes condamnés comme toujours ? Et au point historique actuel, ne serait-ce plus que le cri désespéré d'un idéalisme agonisant ?

Vous avez raison : il faut parier !

Oui, l'entreprise ne peut être que politique. Son accomplissement sera l'œuvre des générations qui montent, ou ne sera pas. Cette jeunesse (celle) qui ose tout remettre en question ne doit pas se trouver acculée au désespoir de la violence (pour le plaisir de la violence) ou de la résignation.

Moi qui suis parvenu à la cinquantaine, je ne lui souhaite pas de connaître plus tard cette amertume de l'échec que les gens « arrivés » appellent l'heureuse perte des « illusions ».

Et pourquoi pas la France ? Pourquoi notre pays ne se révélerait-il pas au monde comme une avant-garde de ce « socialisme » à vocation culturelle qui reste à inventer ?

Une structure sociale qui permettrait la plus grande liberté d'information, d'instruction, d'expression et de confrontation. Une société qui favoriserait avec et dans « l'effort pour vivre » ce libre et dynamique « effort pour être ».

Cela suppose la réhabilitation effective du travail, du travail socialement nécessaire ; l'humanisation de ses « conditions », de ses buts, de sa répartition.

Certes, il restera longtemps encore des « corvées ». Eh bien, ce service public national ne pourrait-il être effectué par tous, pendant une période donnée. (Le « service militaire » n'a-t-il pas été accepté par tous ? retenir ce principe en éliminant ses tares : la coupure de « classes » entre officiers et soldats vaudrait autant pour la paix !)

La vraie culture que vous appelez suppose au moins une radicale révolution psychologique, qui liquide dans la pensée collective la traditionnelle coupure entre un « matériel » inférieur et un « spirituel » supérieur ; entre les travaux « dégradants » et les travaux « nobles », bref, entre la masse des « esclaves » et l'élite des « maîtres ».

Révolution mentale *et* matérielle : il faut bien que le Verbe se fasse chair...

A ma lettre demandant à mon correspondant l'autorisation de publier la sienne, il répondit le 27 juin :

Cette lettre est à vous, de même que votre article qui l'a provoquée est, en quelque sorte, à moi (et, je veux l'espérer, à beaucoup d'autres « personnellement » concernés). Votre pensée a fait des vagues dans la conscience du lecteur : cet accord spirituel forme un tout (une dynamique) dont vous restez le premier serviteur (l'instrument principal, comme l'artiste l'est de son œuvre : l'œuvre « impersonnelle » qui l'engloutit et dans laquelle les autres hommes se retrouvent « chez eux »).

Combien et combien de fois ai-je eu la tentation de « répondre » à tel écrivain, journaliste, etc. ! « Il faudrait approuver cela, souligner telle chose, y ajouter ceci... »

Mais à quoi bon ! « J'ai à dire ? » et puis « Est-ce que tout n'a pas été dit, et redit ! »

Alors ? Vouloir se rendre « intéressant », attirer l'attention sur soi... Moi l'autodidacte, chiendent superflu, rien dans les mains, rien dans les poches, n'était-ce pas une sorte « d'arrivisme » qui me poussait (et dans l'esprit des « autres », ce serait ça : il veut se sortir, le « petit »).

Enfin, votre article du 29 mai. Une force irrésistible m'a poussé à parler : transformation en dialogue de monologues accumulés. De plus j'avais du temps, ma lettre commencée à Paris a pu s'achever en vacances, devant les montagnes. Et pour une fois, je l'ai envoyée : elle prend un peu figure de testament.

Plutôt que mes nom et adresse, si vous le voulez, vous pouvez indiquer mes caractéristiques générales : petit fonctionnaire à la préfecture de Paris (secrétaire administratif), marié sans enfant ; ma femme est couturière, également salariée.

Demain, je replonge dans l'étouffoir. Sur ma lancée, je voudrais ajouter quelques lignes.

Pour se dégager de ce « totalitarisme de l'abrutissement », de cet environnement déverseur de « sous-cultures », j'ai pensé souvent (et d'autres aussi) au recours d'une pauvreté libératrice. Vous dites : « La naissance d'une nouvelle forme — essentiellement positive, oblative — de la pauvreté. »

Je ne crois pas ressentir beaucoup de « besoins » matériels et l'étalage du luxe m'a toujours paru associé à la bêtise (sans parler d'un sentiment spontané de révolte, provoqué par on ne sait quel réflexe de solidarité avec l'existence des réprouvés) ; eh bien, ma conclusion est que — dans ce monde où nous vivons — il faut être d'abord assez riche pour pouvoir être volontairement pauvre ; d'une pauvreté qui libère, et non qui aliène.

Aujourd'hui, François d'Assise serait embarqué comme clochard ! Le système néo-capitaliste ne peut offrir que la prolétarisation en série (idem, sans doute, le système soviétique : le même mode technique de concentration industrielle et urbaine).

Dans la société « industrielle avancée », compétitive à tous crins, collectivement gloutonne, accumulatrice forcenée des « records » à battre, rien à faire : on n'a pas le « droit » (les possibilités) de refuser le rythme. Donc, les pauvres (involontaires, forcés) de notre société ne sont, pour la plupart, que des avides mal contraints, des « refoulés du standing » ; cela rend la compétition encore plus sauvage et... c'est bon pour le Profit.

Vouloir être « pauvre » — toutes choses égales — qu'est-ce que c'est ? C'est mettre en pratique une sagesse très ancienne, laquelle a éprouvé que le bonheur de vivre est fait de simplicité (les vérités essentielles sont simples), et de non-attachement aux choses. L'exploitation de l'homme par l'homme (et n'oublions pas de la femme par l'homme), vient du désir de posséder, de s'approprier : en fait, les « biens » du riche le possèdent !

La hiérarchie sociale, matérielle, entraîne sa justification idéologique, psychologique. Certaines gens, et beaucoup semble-t-il, ont un besoin mental de se sentir « au-dessus » des autres, sans doute parce que le fait de détenir un pouvoir quelconque les rassure intérieurement. Il n'y a pas que les dames patronnesses pour posséder leurs « pauvres ».

Vouloir être « pauvre », c'est vouloir être libre. Etre libre, c'est accepter librement la vie que l'on a reçue sans l'avoir demandée. Car cette nouvelle insistance sur la « qualité de la vie », juste revanche de l'esprit menacé de liquidation définitive, cette nouvelle insistance reprend le monologue d'Hamlet : « Etre ou ne pas être. » Ceci, c'est toute la question. Il faut une révolution psychologique capable de briser les schémas mentaux préfabriqués, et de redonner confiance à l'intelligence : un mouvement spirituel, en somme. Le reste viendra par surcroît, avec la *compréhension*, la *communication* des hommes entre eux.

B.-P. Giat.

DEUXIÈME LETTRE

Tant en raison de mes fonctions actuelles que du pays où elles s'exercent — et qui suscite ma curiosité passionnée — les questions que vous soulevez ne cessent de me hanter. Je songe surtout au paradoxe fondamental que recouvre la juxtaposition des deux mots : politique culturelle. Ce paradoxe que l'on ne peut sans doute dépasser, comme vous le faites, qu'en marchant, se pose en ces termes : comment peut-on guider le libre épanouissement de l'homme ; peut-on fixer, doit-on fixer un itinéraire à la liberté ?

Le gouvernement, écrivez-vous, « n'a ni le pouvoir ni l'intention — d'où la tirerait-il ? — d'imposer une culture étatique étrangère à sa philosophie ». Sans doute le libéralisme philosophique et politique est-il la qualité majeure d'un gouvernement, puisqu'il s'agit de faire confiance à l'homme. Mais ce même libéralisme n'est-il pas désarmé en face de son frère ennemi, le libéralisme économique, qui forme les êtres à la mésentente, à la rivalité, à la méfiance réciproque ?

Le contre-exemple s'étend sous mes yeux dans ce pays où je vis depuis quelques années. Le dirigisme économique absolu est, toutes choses égales d'ailleurs, un merveilleux instrument de libération de l'homme. Mais il est inséparable d'un dirigisme philosophique et politique qui emprisonne et fait se faner les fruits prometteurs cultivés dans les serres de l'économie. Lorsque la propagande vante à perdre haleine le haut niveau de ses réalisations culturelles, elle ne dit pas faux. Mais elle s'exprime en termes de quantité dans un domaine où ne vaut que la qualité. Sans doute le nombre des théâtres, des salles de cinéma, de lecture, les millions de livres imprimés, tout cela est imposant, impressionnant. Certes, cette infrastructure nécessaire est-elle rendue possible par une volonté consciente d'accroître les moyens de culture. Mais qui dit volonté dit contrôle : on ne se contente pas de donner aux artistes les moyens de s'exprimer, on leur demande de rendre compte de ce qu'ils veulent exprimer. Ce contrôle tatillon trahit la peur devant la culture...

Ajoutons que les initiateurs de cette politique culturelle-là sont dénués de mauvaise conscience. N'est-ce pas l'application de la théorie de Lénine selon laquelle les œuvres de l'esprit sont secondes par rapport aux réalités dont elles s'inspirent ? Donc peu importent les réalisations concrètes de tel ou tel artiste. Il suffit d'améliorer le niveau matériel, le cadre quotidien de la vie, et la vie changera d'elle-même, ainsi que la culture qui en est le reflet. Sous les fleurs dont on couvre ici la culture, se cache un mépris profond pour les hommes de culture.

Il n'en reste pas moins que la question reste posée : celui qui donne les moyens matériels nécessaires à la réalisation et à la propagation des œuvres de culture peut-il s'interdire tout contrôle sur le message qu'il contribue à transmettre ? Surtout quand ces moyens matériels ne lui appartiennent pas en propre, mais qu'il les gère au nom de la communauté nationale. On sait que les intendants sont toujours plus féroces que les maîtres.

Indépendamment de cela il faudrait à ceux qui administrent la politique culturelle une humilité profonde, celle que vous définissez lorsque vous parlez d'une nouvelle forme de *pauvreté*. Forme nouvelle peut-être d'une vertu très ancienne, dont l'Evangile nous rappelle qu'elle est la première : car il s'agit de servir, c'est-à-dire d'aimer.

Exaltant programme pour tout homme digne de ce nom, qui ne peut ignorer que la culture c'est ce qui émane du cœur de l'homme et ce qui le relie, quelles que soient les barrières du caractère, des mœurs ou des temps, avec d'autres hommes.

G. A.

TROISIÈME LETTRE

« Qu'est-ce que la culture pour l'homme d'aujourd'hui ? » Ainsi avez-vous, non ouvert un débat, mais vous êtes-vous introduit dans un débat. Plus exactement, vous avez fait rejaillir de vous une parole portée par notre civilisation qui cherche à parvenir à cet accomplissement dont, en un temps, l'école était la voie.

Etre celui qui s'est fait entendre, qui, en ses œuvres les plus tendues, cherche la parole signifiante, entraîne de la part des centres d'écoute que nous sommes — si variés — des résonances, des répercussions, on peut dire : des réflexions, dans lesquelles vous pouvez vous reconnaître, ou qui semblent vous trahir, mais dont vous avez été à un moment donné l'origine. C'est pourquoi cette lettre.

Pour moi, il y eut une simultanéité dont je veux vous faire part : la lecture de votre article dans *le Monde* et l'absence du chant du « Veni Creator » à la messe du matin de Saint-Jacques du Haut-Pas, le dimanche de la Pentecôte. Cette observation faite ravive le souvenir d'autres, et je me demande si notre siècle qui réclame si bruyamment la culture n'a pas en esprit la perspective seule d'un plus grand savoir. Or, bien sûr, être cultivé suppose d'avoir pu bénéficier de la diffusion du savoir ; mais la finalité de cette démarche est atteinte seulement si elle rend capable de co-naissance, si elle permet de naître à ce qui fut l'âme d'une expression.

Le rejet des formes passées — auquel nous assistons, et dans tant de domaines — est un acte anticulturel. La même assistance, certainement unanime pour être favorable autant à l'existence du ministère de la Culture qu'à toutes les initiatives facilitant la diffusion de celle-ci, se trouve incapable de redire une prière portée des siècles durant.

Toutes les prières de la Bible ne peuvent être dites. Les hommes de nos jours ont dû retraduire la Bible. Les images portées par les termes se sont estompées ; un peu de vie a reflué.

Le paradoxe réside en ceci : l'ensemble que nous formons se sentant plus instruit que ses devanciers, s'estime en progrès sur tout, donc plus cultivé, alors que l'incapacité de recevoir certains textes prouve le contraire.

D'avoir cheminé vers cette constatation m'oblige à aller plus loin, — il le faut — à rejoindre l'alternative que vous avez formulée : « Conquête du passé humain..., conquête aussi du présent... »

La culture n'est pas un aboutissement, elle est un moment possible. Toute voie est à réinventer, tout passage est à redécouvrir.

Une volonté de créativité perce. Picasso, valeur marchande, doit être dynamité, et la douce Mona Lisa disparaître comme une ombre que fait apparaître un instant le soleil.

La démarche de l'homme est celle de l'acteur : le rôle est à reprendre à chaque représentation. La démarche est créatrice.

La culture, je la ressens comme une nécessité, comme une condition de vie spirituelle, — et je pense à Van Gogh affamé de lectures dans les dernières années de sa vie — mais je la sais aussi paravent des faibles, alibi des décadents, des non-créateurs.

Un malentendu doit être levé : de même qu'on peut écrire un roman après Balzac, on peut écrire une pièce de théâtre après Bertold Brecht, peindre après Juan Gris, Braque et Picasso, et encore être poète et ne pas lire

Apollinaire. Ceci suppose que la vie soit reconnue dans la pureté de son expression, aussi qu'elle ne soit pas prévue, organisée, canonisée.

C'est au mois de mai d'une année dont la tiédeur ne nous a pas totalement abandonnés, que j'ai lu en pleine rue :

« J'aspire à être moi-même, à marcher sans entrave... », « Je ne sais pas ce que j'ai à dire, mais je veux le dire », et enfin : « La culture est l'inversion de la vie. »

Le 31 mai et le 7 juin 71.
Michel Vert.

COMMENTAIRE

Ces trois lettres — la plus longue surtout — m'ont incité à entreprendre ce livre, qui est un acte de fraternité. Quelqu'un se lève, il ne sait encore trop pourquoi, et se met à parler — croit-il — au nom de tous : en tout cas, de quelques autres.

C'est d'ailleurs ce qu'impliquent ces lettres. Elles me confirment dans ma plus profonde conviction : celui qui parle est un point d'eau sur une nappe commune. Il n'est ni la nappe, ni le jaillissement. Ce qu'il dit appartient par osmose à tous ceux qui, l'écoutant, reconnaissent en lui la source. Vérité radicale dont ce livre veut persuader : la plus profonde communication est anonyme. Non pas impersonnelle : celui qui en est le support disparaît parmi ceux qui l'écoutent, dont lui-même il écoute le silence, pour leur parler justement de telle sorte qu'il puisse disparaître en eux. Cet anonymat substantiel est un des noms de la culture.

Les auteurs de ces trois lettres appartiennent à des générations différentes. Le premier a mon âge ou à peu près. Le second est un homme jeune. Le troisième, sans doute un jeune homme. Ils diffèrent de ton, de point de vue aussi. Seul le premier correspondant définit de manière explicite la culture comme forme supérieure de vie pour le plus grand nombre possible d'humains. C'est en somme la définition du rapport. Les deux autres semblent hésiter entre ce sens très général, encore vague, et le sens traditionnel, spécifique, d'un mot à vrai dire usé. J'hésite aussi parfois : mais j'ai choisi, ontologiquement, d'intégrer la seconde acception à la première. Je défends d'autant plus, dans cette acception globale, les droits de la culture au sens « classique » ou, comme dit mon premier correspondant, « raffiné ».

Les deux premiers correspondants sont mus par la passion de la *justice* sociale : le dernier, me semble-t-il, davantage par celle de la *justesse* spirituelle. Idéalement, ces passions se rejoignent. Mais celle de la justice épouse le sort commun. La culture, pour elle, est, au moins potentiellement, promotion de *tous* les hommes dans leur mode de vie quotidien : un ensemble de conditions extérieures, mais qui fassent que l'existence du plus humble *travailleur* ait un sens et, pourrait-on dire, au moins un germe d'intériorité. Pour tout homme et pour tous les hommes, mon troisième correspondant aspire aussi, mais à une promotion d'un ordre tout autre, à une élévation secrète et suprême : à l'infusion — si je l'entends bien — de l'Esprit Saint. Il ne faut pas sourire de cette ambition. En fait, même quand elle ignore sa portée, elle soutient la première par-dessus l'impossible. Un même esprit anime ces trois hommes, l'espérance — ou l'espoir fou — que quelque chose, peut-être, un jour...

Ce qui émeut dans la plus longue, c'est qu'elle vient d'un homme qui se sent seul. Et pourtant se croit infiniment solidaire : l'humanité est son réseau nerveux. Il dit de sa lettre qu'elle « prend un peu figure de testament ». Donc, de témoignage. De dernier témoignage, avant le silence de la résignation définitive ? Une bonne fois, il a voulu mettre au clair, pour quelqu'un qui l'entende, l'idée qu'il se fait de l'homme : il m'a rejoint dans une commune pensée. Cette convergence si nécessaire ne peut-elle donc plus se réaliser, se matérialiser ? Où sont « le lieu et la formule » ? Sans doute ces hommes sont-ils très nombreux qui, comme lui, vivent dans l'isolement et le silence leur universelle humanité. Ils ne sont rien. Ils ne peuvent rien. Perdus dans l'immense machinerie sociale. Condamnés à « l'étouffoir ». Toute la lettre est un réquisitoire contre une société qui annule les hommes à « la base », tels que son auteur.

Elle est aussi, à chaque paragraphe, revendication pour ces hommes du droit à la valeur. L'auteur croit-il à une vocation transcendante de l'homme ? Quelle est cette allusion à un Dieu qui soit (entre guillemets) « étranger » ? En tout cas, l'idée d'un destin « surnaturel » (également entre guillemets) de l'homme, d'une transgression par celui-ci des limites de sa nature, lui paraît irrecevable, risible. Il est peu sensible au paradoxe qui me saisit si fort, que l'homme, en effet, a la possibilité de se détruire en tant qu'espèce, et qu'il en est conscient : signe, à mes yeux, d'une réalité transcendante en lui. C'est le mystère du mal, sans lequel toute considération sur l'homme est illusoire. En revanche, mon correspondant exprime de manière admirable le lien spirituel entre l'homme et la terre. La culture, pour lui, est l'intégrale de la vie terrestre dans l'esprit. Sphère spirituelle en expansion : *rêve réel,* « conscient-inconscient », mais dont la projection est *interdite,* refoulée par les sociétés closes dont elle remet la structure en question.

Mon correspondant n'attend rien d'en haut, ni de l'Etat, ni de l'économie planifiée, ni des « sages » : ou il n'en attend que de nouvelles contraintes. Il n'attendrait sans doute rien du rapport. En haut règne une caste qui a sa culture à elle, culture *privative,* « bourgeoise », dont les *trésors* forment ce qu'on appelle notre patrimoine culturel, et dont les manifestations actuelles font la jouissance de « privilégiés ». De cette culture octroyée, il ne veut pas : celle qu'il désire devrait jaillir du peuple. Le contexte nous dit assez clairement qu'il ne veut pas davantage d'une culture étatique se prétendant populaire, du *réalisme socialiste* en un mot. Le « socialisme » (qu'il met aussi entre guillemets) est pour lui ce grand rêve réel que tous les dirigismes refoulent. Mon deuxième correspondant est bien placé pour nous dire comment. Il donne quelques exemples (que j'omets en le citant) d'une méthode de décervelage qui, naguère encore, utilisait de tout autres moyens, et en grand. Le jour où l'on créera, par exemple à Vincennes, une chaire de *sociologie de la torture,* avec à l'appui la masse de chair et de documents que l'humanité accumule depuis un demi-siècle, bien des intellectuels pourront s'inscrire aux cours. Et il ne manquerait pas de professeurs éventuels parmi les rescapés de la méthode. Il est vrai aussi qu'ils pourraient s'entendre dire : « Tu es un témoin, donc je ne te crois pas. »

Oui, quantitativement, les réalisations du dirigisme culturel sont impressionnantes. Tant de livres dans les bibliothèques, tant de musées, tant d'animateurs : le rapport même de la commission s'est servi de certains de ces chiffres pour faire honte de la maigreur des nôtres. Reste la question : toute cette infrastructure, en vue de quoi ? Réponse évidente : en vue d'un savoir utile aux buts que prescrit l'appareil. Lui seul a le droit de penser globalement pour tous, voire de se contredire brutalement du tout au tout sans que personne ose non pas même le critiquer, mais constater que sa volte-face en est une. Dans les pays totalement dirigistes en philosophie et en politique, *les idées meurent faute de se renouveler.* Un art anémié, dé-réalisé ou escapiste, peut subsister plus ou moins artificiellement dans l'inanition de la philosophie : mais il mourra lui aussi faute d'idées nouvelles. Comme le souligne mon deuxième correspondant, ce dépérissement n'inquiète à aucun degré les « initiateurs »

— je dirais plutôt les exécuteurs — de la politique culturelle. Ils sont « dénués de mauvaise conscience » et l'ont même souvent très bonne, contre la culture « bourgeoise » en particulier, mais contre tout révisionnisme aussi. *Mutatis mutandis*, des « sages » éventuels soucieux de vulgariser leur idée « bourgeoise » ou autre de la culture pourraient eux aussi avoir bonne conscience en régime « libéral ». Oui, l'idée de politique culturelle est un paradoxe, puisqu'elle suppose une animation, une circulation double et une, qui vienne à la fois et identiquement d'en haut et d'en bas : elle suppose un Etat et un peuple.

Mon premier correspondant voudrait que jaillît une « éthique culturelle » spontanée, « de la profondeur des êtres désemparés », donc privés de leurs moyens, ne sachant que dire, que faire. Il voudrait en somme un miracle : ou qu'un puits artésien fût percé. Ce qui me préoccupe, c'est comment le percer : car l'eau est bien là, faussement inaccessible. J'en veux une preuve dans la confiance que mon correspondant fait à l'esprit de mon article : en y répondant, il dit avoir « l'illusion » (mot qui rappelle des déceptions amères) « de participer à l'essentiel » ; il parle d'une « dynamique » possible, « impersonnelle », dont, comme moi, il pourrait être le « serviteur ». Conviction qui se retrouve chez le deuxième correspondant, lequel se déclare prêt à ce *service ;* et, sous une autre forme, chez le troisième, pour qui la recherche de « la parole signifiante » est un acte de solidarité. La culture serait-elle donc *service*, au sens le plus plein du mot : service de l'homme par l'homme ? Ouvrons le *Petit Larousse :* la culture, ce pourrait être à la fois l'ouvrage à faire dans la maison de l'homme, dans la maison de l'être ; le produit d'une activité donnant à l'homme autre chose qu'un bien matériel, quelque chose qui soit de l'être ; ce pourrait aussi, personnellement, être le fait de se tenir pour un serviteur, de disposer librement de soi pour les autres. Service, non servage : don de soi-même par libre choix.

Une fraternité latente : des hommes tâtonnant les uns vers les autres pour s'unir et l'exprimer. Telle est, à l'état encore virtuel, la culture. Mais sa réalisation est rendue improbable, peut-être impossible, par le poids énorme du ON. D'un côté, ON, le dédale bureaucratique, technocratique, ses cloisonnements indéfiniment multipliés, ses jeux de miroirs qui renvoient d'un service à l'autre, la pullulation de ses « agents » se neutralisant, se contrariant ; l'univers de Kafka parmi nous (Kafka si bon prophète qu'il est interdit dans son pays) ; chacun, dans cet univers, ayant sa responsabilité précise afin d'en assurer l'absurdité totale. De l'autre côté, l'homme sans prise sur rien, auquel ON vole le seul bien qui lui soit indispensable pour être : *le temps.* L'économie moderne est un formidable complexe dont la matière première est le temps. Les usines à faire avec le temps de l'Argent font aussi du loisir avec le temps de reste : du loisir, donc encore de l'Argent. *Le temps c'est de l'Argent,* tel est l'axiome métaphysique de notre monde : la rentabilité, telle est sa mystique.

Personne, je l'ai dit plus haut, ne peut aujourd'hui s'offrir le luxe d'être pauvre pour l'amour de la pauvreté. Le crime de notre société contre l'esprit est d'avoir fait de la pauvreté un *péché originel* dont il faut se rédimer en produisant et consommant. Consommation anthropophagique : nous consommons le Sang du Pauvre, Bloy l'avait bien vu. Dans ce système géométriquement accéléré, le *travail* est une organisation symbolique du cannibalisme, en attendant que divers phénomènes d'accélération nous mènent au cannibalisme tout court. En l'an 2070, me dit aujourd'hui *Le Provençal,* il y aura 36 milliards d'hommes sur terre. Qu'y feront-ils ? Ils s'y mangeront. En attendant cette bâfrée monstrueuse, nous en sommes déjà à nous ronger nous-mêmes, sans appétit mais sans répit. « Ah ! vivement la fin de la semaine, vivement les vacances et, pour finir, vivement la retraite !... » Et vivement la mort.

Il faut parier, dès maintenant, contre l'irréversibilité d'un tel système. Et d'abord, oser contester les effets accumulatifs de l'abondance : prendre parti pour la frugalité. Constater, en somme, que nous sommes tous, fondamentalement, des *pauvres*. Ce que nous vole la société, c'est notre pauvreté même, dont elle nous empêche de disposer et qu'ensuite elle réimpose sur nous comme cette tare originelle dont elle nous offre de nous délivrer : cercle vicieux d'un monde qui ne s'arrête jamais de produire et de consommer, — *inflation* non pas chronique, mais cosmique, météorisation de la substance humaine à la démesure d'une économie sans autre projet que de se dilater. Il ne faut plus, monsieur le ministre des Finances, parler d'*épargne* aux pauvres : l'épargne, c'est le dernier reste de leur temps qu'on leur dérobe, l'utilisation du résidu d'un résidu. Commencez à leur parler d'authentiques infrastructures *pour tous*, qui leur permettent en effet d'épargner non de l'argent mais un peu de temps, d'augmenter si peu que ce soit leur espace. Quant aux infrastructures, nous avons cinquante ans de retard ? Raison de plus pour les rattraper non sur les pauvres qui les ont perdus, mais sur ceux qui les ont volés aux pauvres.

Le mot « socialisme » est ici dans l'air. Il est dans la pensée de mes deux premiers correspondants. Pour certains capitalistes, c'est le diable. Pour les totalitaires aussi : le capitalisme d'Etat est le pire. Le socialisme, pourquoi ne serait-ce pas la participation ? Une économie peut être à la fois prospère et frugale : c'est alors un système de travail et de partage qui ne permet aucun excès d'appropriation. Supprimer radicalement toute possibilité d'appropriation physique ou mentale de l'homme par l'homme ; surveiller la durée d'utilisation et la manière d'utiliser le temps des hommes, afin que la sujétion de ceux-ci puisse être réduite au minimum ; empêcher toute accumulation trop grande d'argent ou de biens, mais se garder d'un égalitarisme abstrait qui stériliserait certaines fonctions créatrices. Si mon premier correspondant analyse avec une lucidité impitoyable la pauvreté forcée, il s'accorde avec le second pour réhabiliter la pauvreté en esprit, le non-attachement, et d'abord à soi-même. La faillite du socialisme étatique est qu'il ne peut promulguer le non-attachement par décret.

Pas davantage il ne peut promulguer la culture. L'idée de celle-ci, nous le comprenons de mieux en mieux, nous maintient certes dans l'ordre politique mais nous élève dans la sphère éthique, et l'ordre politique avec nous. La culture changera si la vie change : mais à qui revient-il de faire changer la vie ? Il faudra bien que certains commencent : tel est le pari qu'il convient d'amorcer partout où se rencontrent des gens pour le tenir. Il s'agit de répondre par *oui* ou *non* à des questions comme celle-ci : pouvons-nous reprendre à la société notre bien, retrouver le libre usage de notre pauvreté ? Ou celle-ci est-elle devenue l'aliénation définitive, *inflationniste,* qui entretient la fatalité du cycle économique actuel ? Nous sentons bien qu'il faut briser un ensemble de mécanismes rigoureusement organisés sans doute, mais qui sont tels en partie dans la mesure où nous sommes conditionnés sans cesse à croire à leur rigueur [1]. Comment rompre cette fascination mécaniste sans casser la machinerie elle-même ? Faut-il détruire le système entier ou en modifier les transmissions, transférer à tous les ressources qu'il réserve en priorité à quelques-uns ? Il faut, je crois, rétablir ces transmissions à la *base :* inventer une capillarité des échanges, une multiplicité d'associations libres et solidaires qui d'elles-mêmes s'ordonnent à leurs intérêts communs, inspirées d'en haut plutôt qu'aspirées — *inspirées* non par des suggestions étrangères aux réalités locales qu'elles étreignent, mais plutôt par un certain

1. Un Japonais me disait récemment : « Quand un pays voit sa production croître constamment plus vite que celle des autres, il s'aperçoit aussi plus vite qu'eux des limitations inhérentes au commerce mondial. »

art de prêter attention, une certaine « qualité d'écoute » en haut lieu. Non seulement les bureaux ne devront plus faire la sourde oreille, mais il est désirable qu'ils aient l'ouïe fine, voire musicale, aux affaires culturelles particulièrement...

Parler ici d'oreille peut nous mener loin. Sans doute au cœur de notre problème. La culture est une ouïe intérieure, un *entendement* profond. L'auteur de la troisième lettre le sent, l'*entend*, peut-être mieux que les deux autres : ou le fait mieux entendre en tout cas. Il lie cette ouïe à la parole : ce sont deux formes d'une même conaissance, qu'il distingue soigneusement du savoir. Et pour qu'il n'y ait nulle ambiguïté sur ce qu'est la culture à ses yeux, il éclaire l'ambiguïté de la culture aux nôtres, pour lesquels elle n'est pas un plus-être, mais souvent un savoir-plus. L'accumulation du savoir ne serait qu'une manie possessive, si un tel savoir n'était en vue d'un sens. Et pas seulement d'un sens opératoire, d'une utilisation : d'un sens spirituel, celui qu'exprime dans la liturgie catholique le chant du *Veni creator* au matin de la Pentecôte. Chant *omis*, dit mon correspondant, à la messe de Saint-Jacques du Haut-Pas. On — toujours : on — *omet* de nos jours beaucoup de choses dans la liturgie et ailleurs. Très exactement *on* ne sait plus ce qu'elles veulent dire : elles « sautent » alors d'elles-mêmes et disparaissent, mais où ? J'ai mis longtemps à me résigner à la suppression du prologue de l'Evangile de saint Jean, lu autrefois à la fin de chaque messe. La lecture de ce texte initial *après* le *Ite missa est* m'apparaissait d'un symbolisme formidable : c'était, me semblait-il, la réitération du souffle de l'Esprit. On a très peu remarqué son éviction, et personne ne l'a déplorée publiquement, du moins que je sache. Nous sommes en train de devenir très sourds. Très sourds au silence, en premier lieu. Mais revenons de la liturgie à la culture : il serait de la dernière absurdité de travailler à la promotion culturelle du plus grand nombre pour leur donner une culture à l'ouïe déficiente, une culture pour demi-sourds.

Quand Lénine dit que « les œuvres de l'esprit sont secondes par rapport aux réalités dont elles s'inspirent », il fonde le « réalisme socialiste » et à plus long terme le jdanovisme. Rien d'étonnant que ses successeurs témoignent d'un « mépris profond pour les hommes de culture », qui sont au plus, à leurs yeux, des calqueurs ou des mimes de la réalité telle que les gens de l'appareil veulent qu'elle soit vue [1]. Ce contresens, malheureusement, a fait son chemin dans la « conscience » de l'intelligentsia. Que le poète ou le philosophe soient des révélateurs du réel caché, voire des inventeurs d'un sur-réel qui agrandit l'esprit même de l'homme, est lettre morte pour la plupart des intellectuels. Ils n'ont besoin ni de cette part cachée, ni de ce surcroît d'espace interne. Ils ne savent que ce qu'ils voient. Et comme le visible s'est considérablement accru, ils croient en savoir comme jamais encore, bien que ce qu'ils voient n'ait en rien diminué le mystère, celui du visible en premier lieu. Notre « culture » court donc le risque de n'être qu'une redite fastidieuse du visible, ce qu'est, par exemple, la plus grande partie de la production du nihilisme contemporain ; ou d'être un recyclage permanent, un cours du soir — facultatif jusqu'à quand ? — pour adultes.

Mon correspondant se réfère au dépérissement de la prière pour montrer à quel point les chrétiens se barbarisent en perdant le sens de leur tradition. Où vont ces sources perdues ? Il est certain qu'un homme d'aujourd'hui, avec tout son pseudo-savoir sociologique, ethnologique, psychanalytique, en sait moins sur l'essence de la vie intérieure, non seulement que les contemplatifs auxquels nous devons les grands textes saints, mais que les âmes qui scrutèrent ces textes à travers les siècles, affinant l'ouïe intérieure de l'humanité. Au fur et à mesure

1. L'idée que ce soit précisément cela que les travailleurs attendent de la culture m'a toujours semblé une sottise d'intellectuel.

que les gens cessent d'écouter, l'humanité devient plus murée. Or cette réalité qu'elle désapprend d'entendre, ce peut être Dieu : c'est aussi l'homme. La surdité contemporaine à la poésie est une perte grave du sens de l'homme, un début de déshumanisation. Si l'on faisait un lexique des mots essentiels à l'expérience humaine profonde et qui ont perdu leur signification dans le dernier quart de siècle, il y aurait de quoi trembler d'effroi. Sans qu'il s'en doute, l'homme « civilisé » est en train de redevenir une redoutable bête carnassière, un fauve que flatte son odeur : cela se flaire à sa terminologie.

Mon troisième correspondant ne s'arrête pas à ce constat qui serait désespéré. Tout, pour lui, recommence et constamment se réinvente. Et d'abord les mots de la tribu. La culture n'est pas une nécropole de chefs-d'œuvre dont la présence-absence frapperait l'époque de stérilité. (C'est l'image que s'en fait pourtant une « bourgeoisie » méfiante du nouveau et rassurée par ses professeurs, qui ne se sentent guère à l'aise dans le siècle.) Créativité est donc un maître mot de l'aventure spirituelle chez tous ceux qui savent qu'il engage, qu'il ne va pas de soi, mais mobilise pour le plus grand effort. Il est évident que mon correspondant est jeune. Il commence : il est plein d'ardeur, mais ne veut pas être dupe, fût-ce de soi. Il ne consent pas que la culture puisse être le terrain de jeu des petits talents. Ni que l'ombre des grands anciens empêche les nouveaux de croître. Il a raison. Il a raison *au sommet.* Mais il est injuste pour les petits talents, s'il les classe tous parmi « les faibles, les décadents, les non-créateurs ». Les petits talents sont odieux ou ridicules quand ils veulent la mort des grands [1]. Ils peuvent être dangereux quand ils décident qu'étant le nombre, ils ont un droit proportionnel à l'importance. Pullulation que nous voyons aujourd'hui partout, multipliée par les

1. On s'est servi d'eux comme censeurs ou délateurs dans le monde totalitaire.

mass media. La culture, si elle était livrée à eux seuls, serait — j'y insiste — la grande concasseuse des âmes. D'où la prudence — mais qui devra la montrer ? — nécessaire au choix des futurs animateurs. Cette réserve faite, qui est capitale, je vois la culture comme une immense forêt où des plantes de toute espèce et de toute taille prospèrent dans une mystérieuse solidarité écologique : il ne faut rompre l'équilibre de celle-ci ni au détriment des plus hauts fûts, ni à celui des plantes rampantes, car tout crèverait alors tôt ou tard. Quand un homme fait un poème, ce qui importe est son acte intérieur. Personne n'est juge de la vraie grandeur de cet acte, incommensurable souvent au poème une fois fait.

« Je ne sais pas ce que j'ai à dire, mais je veux le dire » : c'est très exactement l'expression de la volonté de l'artiste, avant que la chose soit. Cette gratuité est indispensable à l'homme : faute d'elle, notre espèce se refermerait sur elle-même. Je dirai, dans les deux derniers chapitres, comment je vois ce danger et quel en est le remède : l'imagination. Mais avant de quitter mes correspondants, je m'étonne qu'aucun n'ait parlé de la fête. Le rapport de la commission en parle peu. La culture est toujours envisagée comme chose sérieuse : elle l'est, mais peut être joyeuse aussi. Cette manifestation de la joie est l'une des activités qui nous sont le moins familières : le mot *joie* est de ces vocables trop lourds dont nous nous sommes étrangement délestés. Quant au mot *fête*, à peine s'il est dans notre vocabulaire : faire la fête, c'est faire la *bombe*, exploser en somme ; ce n'est pas se réunir, communier. Que de chemin à faire, à refaire, pour retrouver cette « sagesse très ancienne » dont la pratique crée l'harmonie qui est notre unité dans l'univers ! Ah ! maintenant, nous avons « la sexualité de groupe [1] ». « J'ai appris à relativiser mon corps [2] », dit une linguiste de trente ans, émerveillée.

1. *Le Nouvel Observateur*, 12 juillet 1971. — 2. *Ibid.*

Deux ou trois fois, un correspondant fait allusion à la *femme* dans la culture. La femme n'est pas ce corps linguistique trentenaire et relativisé. C'est une immense réalité symbolique presque éliminée de notre fausse culture et toute ou presque à réinventer, par les femmes autant que par les hommes. Je lui donne aussi d'autres noms : Mémoire, Imagination, Intuition. Ce sont autant d'images d'elle : et n'y a-t-il pas des traditions chrétiennes qui prêtent une ineffable féminité au Paraclet ?

ET PAR LE POUVOIR D'UN MOT

La meilleure critique de notre fausse culture, c'est l'*espérance*, qui en est le contraire, et l'antidote aussi. Je dirai donc l'homme. De plus en plus j'entends annoncer qu'il est mort : je dirai donc l'homme universel en tout homme, le long travail d'humanisation qui durera l'humanité entière et s'accomplit par chacun de nous.

Le métier d'écrivain est de ceux qui peuvent, à chaque phrase, engager le sens de l'homme. Plus je l'exerce, moins je dissocie le langage que je façonne de la forme humaine qu'il doit dégager. Cette phrase, je devrais la reprendre mot à mot, préciser pourquoi et comment le pouvoir créateur ne fait qu'un avec la piété pour l'humain dans l'homme. Il se peut que tout créateur ne souscrive pas à cette idée : je n'en ai trouvé aucune autre qui la vaille, ni seulement qui vaille auprès d'elle, si ce n'est celle qui, l'englobant, la fonde et la fortifie en Dieu.

Ma définition de l'homme est simple : c'est l'être qui se donne forme et qui le sait ; qui sait qu'il n'est qu'en se donnant forme. Et parce qu'il a ce pouvoir, il n'en a jamais fini de l'exercer sur soi ni sur le monde qu'il intègre à lui. Le paradoxe de la forme humaine est de s'ouvrir sans cesse à elle-même au lieu de se fermer sur soi : l'homme ne modèle que son creux, lieu d'un accomplissement, d'une plénitude, qui échappent à son effort et dont celui-ci n'est que le négatif. Etre homme aussi pleinement que possible, c'est avoir de plus en plus faim de l'homme. Le métier d'homme est d'aiguiser cette faim, et d'abord en celui qui l'aiguise.

Or la faim d'être, mon art l'éveille mais ne la satisfait pas. Il m'ouvre de toutes parts à l'infinie nostalgie de l'homme. L'homme est un immense appel d'air qui attire en son centre le feu. C'est la présence de l'homme que je veux non point cerner, mais éprouver en moi et dans les autres ; que je rappelle, que j'exalte, que je loue, et dans laquelle parfois je m'extasie. D'innombrables volontés partout tendues à travers l'histoire entière concourent comme la mienne à ce très haut, à ce divin anonymat. Le projet humain ne connaît pas son propre nom : ce non-savoir ne le maintient pourtant pas dans l'absurde, il investit un mystère ; il préfigure, par des solidarités visibles, une réalité qui se donne au tréfonds. C'est à la frontière entre connaissance et inconnaissance que son souci de se définir porte l'homme et fait éclater toute définition. Même le scandale de la sauvagerie, de la misère, le spectacle de la folie ou de la mort, l'infirmité si évidente de notre nature en ces situations extrêmes où l'idée de l'homme ne semble plus se justifier — notre néant, pour tout dire d'un mot —, fait partie de cette frontière. J'appelle *culture* l'activité contradictoire qui établit cette frontière afin de la mieux contester.

Pratiquement, qu'est-ce à dire ? Que la culture d'un temps donné postule deux mouvements : d'une part l'unification de la forme humaine, d'autre part le maintien — fût-ce au prix de la forme — de l'ouverture à l'infini. Celle-ci, la plus précieuse possibilité de l'homme, dépend paradoxalement de l'incessant effort vers l'unité : nihilisme n'est pas ouverture, mais simple décomposition. Le premier devoir de qui porte et pense l'homme — tout homme porte l'homme, tout homme le pâtit, *il faut croire* que tout homme peut le penser selon sa mesure, même l'idiot —, le premier devoir de qui prend conscience qu'il porte l'homme est de travailler à son unité, c'est-à-dire à sa conception globale. Sans idée directrice de l'homme, une époque, malgré ses progrès ou du fait qu'ils sont sans lien ni contrôle, se condamne à la barbarie. Ce danger menace la nôtre : l'excès de pouvoir et de savoir nous conduit à ces deux extrêmes, la démesure et la nullité. Cet excès ne l'est pourtant pas en soi, mais seulement faute de forme intégrante. Autrement dit, l'homme est trop faible pour ce qu'il peut et pour ce qu'il sait : sa science et sa puissance l'écrasent. Sa ruine — car c'en est une — lui obstrue l'infini. N'étant plus *un,* il ne peut se tenir face à son mystère. Et sans mystère, il est nul.

Une œuvre commune s'offre donc aux hommes de ce temps : *réintégrer* l'homme. Le réintégrer : s'en refaire une idée, et faire de cette idée leur demeure. Intégrer l'homme, le réinvestir de son sens, rendre au sens la primauté sur les pouvoirs, c'est libérer dans l'homme les hommes, empêcher qu'ils ne deviennent esclaves de ses moyens. Que risque-t-il, cet homme réduit à son poids collectif, à son dynamisme grégaire ? Deux dangers opposés et simultanés, caricatures l'un de l'unité, l'autre de l'ouverture : la massification et l'éclatement, le totalitarisme et le nihilisme, avers et revers d'une même tentation. Ou, plutôt que d'une tentation, de l'entraînement par la force des choses, de ces *choses* dont la première pour l'homme, c'est lui. L'homme-objet doit redevenir sujet : les hommes doivent s'arracher à la chosification qui les guette. Il n'est que temps. Et l'effort à faire est immense. Nous sommes déjà dans la démesure, rien d'étonnant que l'énergie nécessaire pour en sortir nous apparaisse démesurée. Nos divisions sont extrêmes ; nos fanatismes semblent irréductibles ; nos égoïsmes personnels et collectifs sont des facteurs croissants de désorganisation ; notre indifférence ou notre lassitude nous conditionnent à la résignation et à la mort ; nos ardeurs ne sont souvent que frénésie, désir orgiaque de chambardement sans perspective d'organisation plus humaine. Aucune idéologie ne contient plus l'univers, toutes les espérances collectives ont été trahies. Capitalisme et socialisme, chacun à sa manière, sont également bloqués. L'avenir le plus probable est à des dirigismes de formes diverses qui, tous sans exception, atteindront les hommes dans leur âme, la couvriront de leur bruit, l'empêcheront, par leur omniprésence banalisante, de faire silence, de penser, de créer, et d'abord de créer la forme humaine. La perfection de leur technique sociale sera d'ailleurs minée assez vite par l'état d'anémie spirituelle qu'elle aura elle-même produit.

En revanche, il est peu probable que les groupes marginaux, centrifuges, qui se forment en vue de libérations négatives, temporairement, par le « voyage » ou le fantasme érotique collectif, ou même en essayant, par la mise en commun de leurs intimités les plus secrètes, de rompre entre eux l'obstacle du *moi,* soient jamais autre chose que les instables supports d'une nostalgie de la situation prénatale, d'une apesanteur sans durée, osmose utopique interdisant toute communauté réelle, et de ce fait retournant à l'informe, pendant exact de la massification. Pourtant ces groupes traduisent un vrai besoin : celui d'*être-ensemble.* A l'atomisation dans la masse, ils tentent d'opposer, de manière aberrante mais significative, une *participation* qui brise les égoïsmes individuels. Pour échapper à leur propre névrose, leurs membres se chargent d'une névrose collective qui, le plus souvent, ne fait qu'exalter la leur ; ou bien leur refus de la société ambiante les conduit, parce que toute organisation va contre leurs principes, au parasitisme ou au ghetto. Seules peut-être celles des « communes » qui ne sombreront pas dans l'indifférenciation érotique aideront-elles à la conception de nouveaux types de communauté, voire d'un monachisme adapté à notre temps.

Mais dans un monde où les signes de rejet se multiplient, même les pires aberrations ont un sens juste, si dévié qu'il soit. Pas d'échange, d'une part, pas de solidarité vraie, pas d'amour, sans cette communication psychique si fortement refoulée par le « mentalisme » de notre civilisation abstraite : d'où l'envie de se toucher, de se compénétrer, de se fondre, pauvres substituts de la communion. Pas de liberté, d'autre part, sans projet collectif réaliste, inséré dans la trame historique, même quand il témoigne contre l'histoire telle que les hommes la subissent ou la font. Il n'en reste pas moins que ce projet suppose sinon l'abolition des frontières entre groupes sociaux, du moins la définition de leurs intérêts respectifs en termes de coopération et non plus d'antagonisme ; une redistribution des responsabilités sociales en dehors des appareils bureaucratiques tendant à les monopoliser ; une rupture, en somme, des grandes concentrations de pouvoir, et la multiplication de foyers locaux d'initiative à l'échelle humaine, dont le réseau dessinerait entre l'Etat et les citoyens une hiérarchie nerveuse de relations, avec ses relais de responsabilité plus ou moins complexe.

La lutte titanesque pour la possession des moyens de production occupe encore le devant de la scène historique : mais nulle part ou presque le socialisme n'a trouvé d'autre alternative à l'appropriation capitaliste que la réintroduction plus ou moins déguisée du servage au bénéfice ou au moins sous le contrôle d'une caste d'Etat. Dans un monde où toutes les formes intermédiaires de coopération ont disparu, la notion corollaire de celle d'Etat est celle de sujétion servile. La seule différence entre capitalisme et socialisme, tous deux fonctionnarisés de plus en plus, est que l'un tolère encore que ses serfs revendiquent, alors que l'autre ne l'a jamais toléré puisque sa fiction est qu'il les a libérés. Aujourd'hui se pose plus que jamais la question de la liberté personnelle dans un être social où cette liberté puisse signifier coparticipation à la liberté d'autrui. Cette édification commune de la liberté est l'antithèse de l'Etat-providence qui, ne serait-ce que par inertie, fera tout pour s'y opposer. C'est en lui pourtant, par sa métamorphose progressive, que des structures collectives plus humaines devront être librement édifiées. Je ne sais pas si, psychologiquement, la conscience sociale y est déjà prête.

A-t-elle vraiment pris la mesure de ce grand mot de *participation*, du type de société qu'il suppose et de la nouvelle psychologie sociale qui peut seule le garantir ? Il faut partir du fait que ni cette société ni cette psychologie n'existent encore, et qu'elles doivent en quelque sorte se développer l'une l'autre par correspondance croissante des structures et des mœurs. Toute réforme de la société est aussi, non point conséquemment mais conjointement, une réforme de l'âme humaine. Il est souhaitable que la situation psychique de l'homme d'aujourd'hui fasse l'objet d'une réflexion aussi sérieuse que son état économique et social : en un sens, elle dépend de cet état, et pourtant elle le déborde. Il ne suffit pas de faire vaguement allusion au désordre des esprits et à la crise de notre société. Les ferments d'une révolution toujours possible ou d'une improbable conversion aux fins humaines, c'est dans l'énorme travail de la psyché contemporaine qu'il convient de les chercher. L'invention de l'homme est affaire collective : de grandes convergences s'ébauchent, qu'il importe de préciser et si possible d'orienter.

Mais comment cela ? A quoi bon être persuadé que la place de celui qui pense est au milieu des autres et qu'il est responsable dans son ordre de leur univers commun, si cette solidarité latente, ce germe malgré lui-même inactif, ne trouve nulle part d'insertion concrète dans la vie collective ? Tel est le sort de millions de Français que la société parque sans les intégrer. Ce défaut d'appartenance réelle à une société dont les contraintes le sont toujours davantage cause à plus d'êtres qu'on ne croit un malaise psychique profond, même lorsqu'ils n'ont aucun motif matériel de se plaindre. Le désir de changement qui travaille notre époque vient de là. Etre partie prenante dans l'évolution sociale est une question de dignité : Dieu sait si la revendication en est légitime contre les attentats à la face humaine auxquels ce siècle a été soumis massivement et partout, souvent au nom même de l'homme et de sa liberté !

Oui, comment échapper à ce dilemme : ou bien vivre en bloc, vivre *au bloc,* encasernés mais « sécurisés », ou bien végéter en marge, dans l'illusion d'une maigre liberté ? En venant à bout — ce qui sera difficile — de ce gigantisme dans l'organisation du travail et par là même de la vie, qui a fait du travail et de l'existence une incarcération sans espoir de la psyché. Travailler ensemble n'est pas se rendre par milliers à la même heure à l'usine ou au bureau ; travailler ensemble doit signifier décider ensemble, entreprendre ensemble, *risquer* ensemble. Risquer : mot redoutable pour tant de gens dans une collectivisation de la solitude, où qui perd sa place est en danger de tout perdre. D'où le chantage permanent qui presse l'Etat d'être une caisse d'assurances tous risques, c'est-à-dire le maintient en faillite larvée, à moins qu'il ne finisse par le démanteler au profit d'un système totalitaire qui fait chanter avec son assurance tous risques les velléitaires de l'indocilité.

L'alternative à cette situation où qui ne risque rien est assuré d'étouffer, elle est dans la naissance, ou la renaissance sous des formes modernes, de communautés différenciées, de regroupements solidaristes fondés sur le travail d'équipe et le libre effort de chacun. Le risque, alors, devient inhérent à la création sociale, dont il est la dimension authentique. Le choisir ensemble avec d'autres, c'est être coopté par eux, faire partie de leur existence, d'eux-mêmes. Une psychologie collective et une éthique sont à découvrir, en rupture avec les grandes théories collectives dont la fascination sur les hommes vient de leur besoin global de sécurité, ce mirage qui les attire en troupeaux de plus en plus compacts à leur perte. Seule l'expérience d'une œuvre commune, sans a priori politique mais pour des choix librement débattus, dissoudra lentement mais sûrement les redoutables pétrifications actuelles et rétablira dans la vie sociale une confiance et une amitié inconcevables dans l'état présent.

L'expérience d'une œuvre commune : ainsi définirais-je la culture dont a besoin notre temps. Il va de soi que cette définition ne se prétend ni théorique ni exhaustive, mais pratique, ouverte, indicatrice d'un mouvement. Une autre définition, plus abstraite mais plus perspective, verrait dans la culture l'ensemble des figures que l'homme se donne et retient de lui-même dans sa continuité et dans son projet. Car nul n'oublie l'immense signification du passé humain, ou plutôt de la permanence de l'homme, cette durée de nature supérieure, non immanente sans être transcendante entièrement, qui se perpétue en changeant sur elle-même dans la sagesse, dans la connaissance et dans l'art. Mais peut-être l'étonnement de cette *college girl* américaine, se demandant comment les Parisiens pouvaient vivre entourés de monuments historiques « tels que la Tour Eiffel », n'est-il pas si naïf dans le type de civilisation où nous sommes. Il ne fait pas que dévoiler une rupture en cours, qu'il nous faut constater bon gré mal gré ; il est le symptôme du besoin d'une appartenance immédiate que la référence au passé ne suffit plus à constituer, à laquelle il peut même arriver que l'histoire mette obstacle. La culture vivante d'une époque, jusque dans sa relative ingratitude à l'égard du passé, traduit cette appartenance, cette convergence des aspirations vers une certaine idée de l'homme : elle élabore un sens.

Beaucoup pensent, parmi les intellectuels surtout, que ce sens doit être absolument neuf, et que l'homme, demain, ne pourra commencer qu'à partir de la table rase ou du moins d'une révolution qui détruise les anciennes structures avant d'édifier une société rendant à nouveau la culture possible, ce qui suppose qu'elle est impossible ou fossile dans la société où nous vivons. La tentation est séduisante, elle l'a toujours été, de croire qu'en jetant bas la société qui momifie ou déprave, les hommes retrouveront leur vitalité, leur bonté originelles : et même de croire qu'une nouvelle origine est possible, qu'une race de « mutants » s'annonce en nous. Aujourd'hui que la religion, la philosophie, la science même se détournent de la considération de l'origine dont elles jugent vain de percer le secret, l'utopie d'une origine nouvelle, de nouveaux cieux et d'une nouvelle terre, est assez forte dans la psyché collective pour mobiliser des millénarismes à l'échelle du globe entier. Pour un poète, il ne fait aucun doute, en dépit des rationalismes abstraits qui prévalent, que cette hantise originelle innée dans l'homme reste la source des grands symboles dont l'homme ne peut longtemps se passer. Mais ici l'idée de la table rase n'est rien moins que poétique : elle est un avatar dément de la raison. Constatons ce rêve logique d'une religion séculière toute fondée sur le mythe prométhéen du pouvoir de l'homme sur l'homme plus encore que sur l'univers : mythe de masse qui suppose une caste opérante, même si cette caste s'autodétruit en opérant. Tout pur prométhéen, quand même il s'en défend, est un totalitaire en puissance.

Le succès — ou plutôt l'imposition par la force — d'une idéologie strictement totalitaire a produit partout des résultats horribles. Pour *massifs* qu'ils apparaissent, leur solidité est de plus en plus remise en question par des crises dont la profondeur humaine, bien que toujours fortement réprimée, ne peut être indéfiniment camouflée qu'au prix d'un immobilisme interne de la vie sociale et de l'esprit, immobilisme qui, un beau jour, deviendra lui-même critique. Nous savons trop peu de chose de la « révolution culturelle » chinoise, modèle que les nouveaux millénaristes opposent à celui des anciens. Il semble que ce fut une baratte géante, un formidable brassage collectif. Une tentative aussi, radicale, de destruction non uniquement des valeurs, mais d'ancestrales habitudes psychiques emprisonnant de leur gangue la vie. Orgie de forces instantanément libérées ou mécanisation accélérée de nouveaux réflexes, ou les deux, elle a touché des centaines de millions d'individus. Quelle matière première pour un grand homme ! Mais combien dangereuse à manier... Le nombre à lui seul est monstrueux, il épouvante. Même si elle fut peut-être bénéfique en Chine, pareille fête de l'uniformisation ne paraît pas nécessaire ici.

Pour bien des raisons entre lesquelles notre goût du manichéisme politique, je ne suis pas du tout persuadé que nous saurions, dans l'hypothèse d'un renversement total de régime, éviter d'utiliser la variété sidérante des cruautés totalitaires que cinquante ans de progrès fulgurant de l'histoire ont permis de mettre au point, et qui font désormais partie de l'appareillage technique de l'humanité. Je me méfie de la rhétorique fascinante de la terreur, si ambiguë et qui agit si fort sur les âmes, car je crois que l'usage répété de certains mots finit par donner le goût du sang. Le sadisme a servi d'éducation politique à notre époque jusqu'à s'inscrire dans ses idéologies. Il est douteux qu'une fois au pouvoir, les nouveaux millénaristes le maintiendraient au stade verbal. En tout cas, il n'a plus besoin de faire ses preuves comme technique hautement perfectionnée d'annihilation non seulement de la personne, mais de toute société personnaliste, de toute communauté. Le monolithisme issu de la terreur n'est à aucun degré une forme d'association, c'est un agrégat suant cette même peur qui le cimente. Un tel agrégat, toujours concentrationnaire en puissance, est subhumain jusque dans le principe de massification qui le constitue. Il est juste d'ajouter qu'un type apparemment opposé de société peut être non moins subhumain dans son principe : d'autres conditionnements que la terreur peuvent prédéterminer psychiquement et socialement les hommes, créer en eux des réflexes de masse contrôlables et utilisables à coup sûr. Ainsi, pour qui voit que dans les Etats contemporains, où joue plus que jamais la loi des grands nombres, l'une ou l'autre tendance domine l'évolution publique ou bien l'oriente déjà, tout jugement sur la violence libertaire est nuancé par la considération de cette violence de l'Etat, presque invincible et qui semble impénétrable.

S'il y a de plus en plus d'êtres violents, surtout parmi les jeunes, c'est que l'ordre, en les comprimant, rend leurs énergies explosives. Parmi ces violents existent des créateurs en puissance, de la force créatrice desquels la société telle qu'elle est agencée n'a que faire. Cette force en fait des casseurs. Certes il est une autre violence, métaphysique celle-là : ou peut-être est-ce la même, poussée à l'absolu, c'est-à-dire à l'absurde. Pour mobilisable qu'elle puisse être en vue d'une révolution, elle est moins un moyen qu'une fin en soi chez ceux qui n'y cherchent qu'un dérèglement total de l'être, un assouvissement sans borne des instincts. En rompant ses bornes, le *moi* vient à bout de la forme humaine, il croit sortir ainsi d'une chrysalide, mais le délire collectif où il s'abîme n'est point naissance d'une forme plus haute, ce n'est que pure destruction. Ces phénomènes de fureur libertaire, dont l'excès conduit la forme humaine à la ruine, n'en sont pas moins à l'origine, dans un contexte social où cette forme humaine n'a plus de sens, une tentative désespérée, aberrante, de délivrer son essence formelle, la très précieuse, la jaillissante liberté.

La beauté tragique de notre âge, dont notre art nihiliste — le plus répandu et le plus immédiatement perceptible — n'a rendu jusqu'ici que l'aspect négatif, est qu'il ne peut éviter la régression où son progrès irrécusable l'engage, que par une répudiation solennelle de sa démesure, de son *hybris*. La nécessité d'un choix pour ainsi dire au bord de l'abîme s'est imposée maintes fois à l'esprit humain dans le cours de l'histoire. Mais ce choix n'a pu freiner à temps le pouvoir, et de vastes collectivités conquérantes furent ainsi précipitées faute d'avoir su se fixer *des limites qui fussent des orientations.* Aujourd'hui le choix est planétaire, comme le sont ses moyens. D'un côté, ces énormes machineries de pouvoir que sont les grands Etats modernes, les Empires politiques, idéologiques, industriels : inventions étonnamment articulées, faites pour l'expansion et la guerre, mais qui se meuvent à l'intérieur d'elles-mêmes « avec lourdeur et esprit de défense », comme un poète, Pierre Jean Jouve, le dit des instincts obscurs. Ces admirables et féroces machines ont le plus grand mal à reconvertir leur mouvement, et le continuent bien après que ses inconvénients ont commencé de l'emporter sur ses avantages. Au sens spirituel, la même chose peut être dite de l'objectivation systématique de la raison. De l'autre côté (plus admirable encore, développé par le pouvoir à ses fins mais aussi les transcendant), l'omniprésent réseau de l'information, cette sensibilité universelle qui nous devient de plus en plus intérieure, sans que nous soyons à même toutefois de comprendre quelle transformation elle opère en nous. Le Pouvoir et l'Information : telle est l'œuvre formidable et contradictoire de l'homme, cet être devenu par elle tout ensemble cosmique et nul.

Pour l'instant, il nous semble encore que l'information est contrôlée par le pouvoir. Parce qu'elle est née de la concentration du pouvoir et de la cruelle fécondité des conflits entre puissances, parce que le pouvoir continue de mobiliser d'immenses ressources pour l'étendre aussi bien que la contrôler, leur sort historique apparaît lié. Peu de gens imaginent que l'information puisse se libérer du pouvoir sans s'étioler du même coup, ou que le pouvoir puisse faire de la liberté de l'information le moteur de son propre renouvellement. Ni les Etats idéologiques, ni le *big business,* ni l'Internationale des mécaniciens du cosmos, ni les nationalismes parasitaires tout neufs menant leur chantage dans l'ombre des grands conflits potentiels, ne renonceront de bon gré à l'instrument idéal de leur domination sur les âmes. Mais cet instrument dont ils ont encore l'illusion de maintenir et de dominer le mécanisme a cessé d'être mécanique, il est devenu chose vivante. Il se passe que l'appareil croissant des rationalisations, des fausses objectivations, que le pouvoir est forcé de bâtir mentalement pour endiguer l'évidence contraire de l'image, ne va bientôt plus tenir ensemble, les images affluant de partout dans un apocalyptique dégel de l'histoire. La réalité planétaire de l'homme, entièrement donnée à voir, est suffisamment hallucinante pour que toute drogue hallucinogène apparaisse dérisoire auprès d'elle. Cette hallucination vraie est notre grande chance de liberté.

Mais avant d'être cette chance, elle est d'abord le plus efficace auxiliaire des forces qui veillent à notre abrutissement. L'homme nul ne peut s'identifier à l'homme planétaire, car il ne pourrait plus se contenir. Il souffrirait trop, il serait intolérablement sensible aux tensions extrêmes de sa propre nature, à la rupture de tous ses rythmes, à la puissance d'arrachement qui l'emporte comme à l'énergie monstrueuse du mal en lui. Il prendrait conscience que l'érosion brutalement accélérée de la diversité humaine par une intelligence technicienne et volontariste usurpant le nom de raison, est du même ordre et présente les mêmes dangers pour l'espèce que la destruction catastrophique des sols à de pures fins de productivité immédiate[1]. Or, comme le pouvoir continue de broyer l'homme — et déjà peut-être se broie lui-même — dans le cycle production-consommation, *il ne faut pas* que la conscience d'un tel danger s'étende au-delà de l'inquiétude spéculative du petit nombre. Au surplus, dans leur très grande majorité, les hommes dont l'inconscient collectif est en alerte désirent être rassurés, c'est-à-dire endormis, par les habituelles rationalisations. Il suffit pour cela que l'univers ne soit plus qu'un spectacle dont

1. Et même que l'érosion de la réalité symbolique dans l'homme précipite l'érosion planétaire : c'est, en fait, la même catastrophe naturelle sous deux aspects liés de réciprocité.

les épisodes discontinus deviennent également indifférents. Et comme l'homme s'ennuie au spectacle, tout document sera bon qui flatte certains de ses instincts, pourvu qu'il soit systématiquement neutralisé, effacé, par un sempiternel procédé de coq-à-l'âne. Si une telle manipulation des mass media pouvait s'institutionnaliser, les masses humaines du monde occidental, bercées par leurs rengaines progressistes, s'engourdiraient dans la stupeur pour se réveiller dans la barbarie.

Seulement cette manipulation est dès à présent vouée à l'échec. Le pouvoir croit endormir la volonté de l'homme : mais la violence s'agite et rêve tout haut. Il faut renverser la façon de considérer le problème : ne plus se poser la question de l'utilisation rationnelle des mass media, mais apprendre ce que les mass media ont irréversiblement changé dans l'homme. Ce n'est plus le pouvoir qui maîtrise l'information : c'est de plus en plus l'information qui *in-forme,* qui forme du dedans le pouvoir. Du coup, une charge encore insoupçonnée de liberté, une énergie nucléaire de l'esprit, est à notre portée pour le meilleur et pour le pire. A noter qu'aucun monopole ne va bientôt résister à la prolifération des vidéo-cassettes, laquelle peut être soit un cancer pour l'esprit, soit un enrichissement de son réseau nerveux. L'œuvre commune est dès lors clairement définie : les hommes doivent éviter la cancérisation de l'énergie nouvelle qui se développe dans leur masse ; il leur faut, comme des enfants, faire l'apprentissage de cette sensibilité universelle qui germe en eux comme une seconde croissance de l'âme : nous verrons plus loin quelle éducation *globale* leur est nécessaire s'ils veulent éviter de régresser sous le poids de facultés trop puissantes pour eux.

Quelles facultés ? La sensibilité, l'imagination, débordant soudain les schématismes d'un intellect trop occupé à imposer sa mesure aux choses pour penser l'homme sinon comme objet. En toute justice pour l'immense effort d'abstraction qui a conduit l'homme à sa frontière présente, la traditionnelle primauté de l'intellect a sans doute renforcé dans l'inconscient cette part imaginaire et sensible dont l'apparition à la conscience va modifier *globalement* le monde humain. Ou bien l'homme planétaire se décomposera sous ses rationalisations apparentes, ou bien il commencera sur lui-même un travail de double intégration : intégration, dans la personne humaine, de la triade mystérieusement unitaire : intelligence-sensibilité-imagination ; intégration, dans la symphonie humaine, de la variété des modes de connaissance, des expériences de l'être, des formes d'approche de son au-delà. De cette genèse, il n'est pas interdit de parler comme d'une véritable origine : l'homme peut être, en ce moment précis de l'histoire, aussi bien fin que commencement. Et, pour la première fois sans doute dans l'aventure humaine, le choix spirituel est possible sans aucune ambiguïté ; plus encore, ce n'est pas un choix contre le progrès, mais le seul moyen de lui éviter démesure et désastre.

Ce choix est celui d'une culture. Il engage un processus qui ne fait que commencer. La culture qui doit le rendre manifeste est encore à l'état naissant : elle anime de son espoir bien des volontés individuelles, des associations, des communautés qui se cherchent entre elles ; mais pour que l'intégration culturelle se produise, l'idée ne suffit pas, une politique doit l'assumer. Un Etat, une nation peuvent devenir des intégrants de la culture. Pour un pays comme le nôtre, attentif à la forme du monde mais à l'écart des rivalités impériales qui le secouent, promouvoir une idée universelle de la culture pourrait être une *vocation :* car ce mot s'applique aux peuples comme aux personnes. Que, malgré elle mais sans se mentir, France signifie une certaine conception de l'humain n'est point après tout chose nouvelle : jamais il n'aurait été pris dans un sens plus spirituel. Mais pour que la France devînt un foyer de cette culture unifiante, il faudrait que le pays de Descartes cessât d'être aveuglément « cartésien ». Car au principe de nos maux actuels gît le totalitarisme de la raison, qui a refoulé dans l'inconscient occidental les deux autres énergies de la triade. La raison, pour faire place nette au concept et mécaniser la nature, a pratiqué ce que l'homme moderne n'a cessé de faire depuis dans sa conquête de l'espace productif : une *déforestation* systématique, sans tenir compte de l'écologie de la nature humaine. Il s'agit maintenant de reboiser, de replanter les « forêts de symboles » chères non seulement à Baudelaire, mais à tout homme conscient de la richesse complexe de l'homme, de ses lois d'équilibre, de sa véritable *raison*.

Je sais que ce langage restera incompréhensible à beaucoup, qui voient la vie en noir et blanc depuis Descartes. Je n'ai jamais cru, pour ma part, que la vérité des choses se conformât uniquement à la clarté de la raison telle qu'il l'entendait : j'ai toujours regardé cette clarté comme une atrophie de la véritable lumière. Je m'en expliquerai à la fin de ce livre. Ici, je ne veux que rappeler brièvement une évidence trop oubliée dans la vie sociale, surtout depuis que les théories ont pris le pas sur le réel dans la société : toute communauté authentique est une interaction de personnes vivantes, un milieu intersubjectif. L'intimité personnelle, détectrice de l'invisible réel, se communique généralement par symboles : l'image symbolique permet la transmission d'une expérience incommunicable par les moyens de l'intellect. Elle joue le même rôle dans le rapport non conceptuel avec la nature. En d'autres termes, le savoir intellectuel sur « les choses » n'épuise pas la connaissance et la compréhension de la vie, mais les restreint et souvent les dessèche. En politique, la prépondérance unilatérale de la raison fait que l'abstrait, le virtuel, saisit le concret, le réel. Contre cette usurpation il n'est de recours qu'une vision génétique de la réalité et de l'homme, vision qui développe les facultés

1. Ou plutôt, telle que les « cartésiens » l'entendent.

intuitives dans l'âme et le pragmatisme inventif dans l'action. Par cette vision et l'activité qu'elle postule, l'homme atteindra un seuil supérieur de son être. Nous assistons aux débuts, angoissants et contradictoires, de sa montée vers ce palier de civilisation.

Pour nous dépouiller — nous Français surtout — de notre « mentalisme » théoricien, il faudra que se forme un milieu de culture très différent de celui qui nous baigne. Des changements analogues se sont déjà produits dans notre histoire, par un phénomène de contagion dont la rapidité nous surprend. Une telle contagion s'accélère sous nos yeux mêmes, et si nous la percevons mal, c'est que nous sommes peu capables de juger du présent autrement que par référence au passé. Comme le système scolaire français n'a guère évolué depuis un siècle, nous avons fini par tenir pour immuables ses critères du savoir. Ce savoir enferme notre jeunesse dans une conception de la pensée qu'elle tolère de moins en moins, quand elle n'y est pas violemment rebelle. Selon toute probabilité, notre enseignement changera davantage en dix ans qu'en deux siècles, même s'il ne fait que s'adapter à des tendances collectives très profondes, longtemps refoulées par lui alors qu'il aurait dû les prévoir et les guider. C'est dans la jeunesse que depuis dix ans s'est ébauchée, de façon moins confuse qu'on ne pense et que toutes les récupérations de droite ou de gauche, y compris le gauchisme de certains assistants de faculté, n'ont pas sensiblement détournée de sa visée, une poussée globalement libératrice que l'on pourrait appeler *l'utopie de la réalité de demain.* Ce qui fut, en mai 1968, une explosion contestataire dont le succès dans l'immédiat aurait été à coup sûr la tragique faillite à terme, a remué si profondément la jeunesse française qu'il est impossible de douter qu'une immense moisson d'idées est en train de mûrir en elle, chance historique non seulement de cette génération mais en elle de notre pays. C'est de la jeunesse que dépend en grande partie la réussite du projet culturel. Elle n'y participera que si la culture est déscolarisée, comme devra l'être l'école elle-même, les deux allant de pair. Il est indispensable que ce projet fasse sortir les jeunes de leur ghetto anti-adultes, c'est-à-dire qu'il n'apparaisse pas à leurs yeux comme un ensemble institutionnel préfabriqué en vue de les accueillir. Les jeunes seront conviés à s'associer à la conception et au développement du projet dans son ensemble et dans le détail de ses entreprises. Il n'est pas sûr qu'ils acceptent d'y coopérer, du moins dans un premier temps [1]. Mais le travail de persuasion est une des formes de l'action culturelle : sans doute faudra-t-il aussi qu'il le soit de la politique de la culture, expression que l'on imagine malsonnante aux oreilles de bien des jeunes gens.

Expression qu'il faudra travailler sans relâche à rendre simple et populaire, en ne cessant de l'expliciter sur tous ses plans d'application. Elle revient à dire : votre liberté n'est pas un vain mot ; c'est à vous de créer vos plus hautes formes de vie. A l'heure actuelle, personne ou presque n'y croit ni ne pense y croire un jour. Les gens n'y croiront que si l'Etat se modifie : et l'Etat ne se modifiera que s'ils y croient. Ce cercle vicieux ne sera brisé que par le petit nombre de ceux qui se veulent personnellement créateurs et libres, et qui, bien que sceptiques autant que les autres sur le plan social, se porteront, justement sur ce plan-là, *volontaires pour y croire*. C'est sur cette foi désespérée que se fondent ceux qui veulent, en se changeant eux-mêmes, « changer la vie ». Cette foi, cette espérance, les engage plus loin qu'ils ne pensaient et peut-être n'auraient voulu aller, dans la critique radicale de certains conformismes du temps, si énormes qu'ils en deviennent invisibles. Les pages qui suivent ne sont qu'un timide essai dans cette direction.

1. *Coopérer,* c'est créer ensemble, dans une égalité d'invention où l'âge ne compte pas. La ségrégation des âges, qui produit des subcultures, étouffe en germe la culture. Et d'ailleurs, qu'est la vraie jeunesse, sinon une vertu de l'esprit ?

UNE RÉVOLUTION DANS L'ESPRIT

RAISON GARDER

Ce qu'un poète se mêle de dire sur la technique est a priori suspect. Son incompétence, dans la généralité des cas, le fait osciller de l'émerveillement à l'angoisse. Le fait que « ça marche à tout coup », au lieu de le porter au crédit de la science, il le rapporte inconsciemment à la magie. En même temps, il craint un monde qui serait doué de l'infaillibilité de la machine. Quand il prend contre elle « le parti de l'homme », il agit comme si elle n'était pas un fait humain. Sa révolte contre la mécanisation sociale (sous sa forme, par exemple, de société de consommation) prend très vite le ton de l'anarchie ; à moins que, plus discrète et comme refoulée, sa méfiance à l'égard d'un univers monté de toutes pièces ne le conduise à l'isolement, voire au refus global.

Ni cet exil à l'intérieur, ni cette explosion irrationnelle ne répondent à la question posée à l'homme par le monde qu'il se crée : question qui est d'abord celle de l'homme, avant d'être celle de ses moyens. Ou bien alors il faut renier l'une des facultés maîtresses de l'homme, la raison, aussi bien pure qu'appliquée à la matière pour la modifier et l'ordonner à de nouvelles fins. Ce reniement de la raison est d'essence métaphysique : il s'inscrit dans une certaine conception de l'univers et de l'homme, tentation gnostique dont je me garderai. Qu'il me suffise d'avancer ici que la sauvegarde de la part irrationnelle, ou plutôt supra-rationnelle, de la réalité tant au-dedans qu'au-dehors, ne s'effectue qu'en allant de pair avec l'exercice de la raison elle-même, exercice qui met la raison en question. Le désaveu pascalien de la raison ne peut se faire sans le concours de la raison même : ce qui nous la rend si précieuse et la privilégie par rapport aux autres facultés, c'est que son pouvoir sur l'esprit lui donne l'autorité suffisante pour abdiquer ce même pouvoir. Il y a en elle quelque chose d'absolu qui la conduit, quand elle s'examine en son fond, à se proclamer relative. Cette auto-transcendance est la limite qu'elle se reconnaît, faute de quoi elle demeure agnostique et toute « vérité » qu'elle découvre n'est jamais qu'entre guillemets.

« La chose la plus incompréhensible du monde est qu'il soit compréhensible » : cette phrase d'Einstein traduit à merveille l'éblouissement de l'esprit devant les pouvoirs de la raison. A partir de cet éblouissement commence la réflexion de l'esprit sur lui-même, qui l'ouvre à son au-delà. Mais, chose incroyable pour l'esprit éveillé, bien que la plus banale du monde, la plupart des intelligences rationnelles ne se soucient nullement du mystère de la raison. Elles se servent de la raison comme d'un outil, et en même temps y voient l'absolu de l'homme — mais plutôt son plafond que son ciel. De cette ambiguïté, voire contradiction de nature, dérivent une diversité d'attitudes, parfois ensemble opposées et simultanées, qui vont de la foi dans la force de la raison à la tristesse devant la raison vaine ou déchue. Rien n'est plus courant aujourd'hui que ces contrastes chez beaucoup d'artisans — qui se veulent les maîtres — de la raison.

Que se passe-t-il qui explique le fait que pour la connaissance la raison soit tout, et que pour l'âme elle ne soit rien, comme l'âme n'est rien pour elle ? N'est-ce pas trop donner d'un côté, et de l'autre ne rien retenir ? Doit-on, pour défendre la raison, faire le procès de ceux qui l'absolutisent ? N'est-elle pas pour ces derniers un faux absolu, une habitude mentale devenue normative parce que, dans son domaine qui est celui de l'adaptation de l'homme au monde, elle ne cesse de confirmer qu'elle réussit ? Faut-il en venir à la considérer comme un système mécanique de plus en plus aliénant à mesure que croît son exactitude ? Ou convient-il, au contraire, d'aider la raison à sortir de la gangue qu'est sa propre aliénation, son incarcération au-dedans de soi ? Quelques brèves remarques sur le succès de la raison aideront peut-être à dissiper le complexe d'échec qui la travaille.

Donnons-lui pour cela sa définition opérative : c'est la faculté d'établir des enchaînements nécessaires entre les faits. Comme toute faculté humaine, elle est en devenir : elle se développe à partir de l'expérience sur laquelle elle s'exerce. Son mécanisme, qui se précise en s'exerçant, est l'abstraction, qui tire son objet des phénomènes, objet de raison et non pas chose perçue ou sentie : c'est la mesure qui le définit. L'objet est un support de relations que l'abstraction coordonne et travaille à réduire : jalon provisoire, point d'appui d'un système cohérent qui le dépasse, l'englobe, et ne le laisse subsister qu'aussi longtemps qu'il ne peut le ramener à un objet plus abstrait que lui. Aussi voit-on que l'intelligence et le réel scientifique se constituent ensemble à partir de l'expérience, au cours d'un effort d'organisation de celle-ci indivisible de la cohérence que l'esprit renforce en soi. Le monde s'impose à la construction de l'entendement, et la conviction rationnelle n'est que l'assurance que ce dernier peut bâtir des systèmes de plus en plus abstraits et de mieux en mieux vérifiables.

Cette définition de la raison est un instrument de progrès dont la double fonction est de représenter l'expérience et d'agir sur elle. On voit comment la technologie en est inséparable : combiné rationnel, la machine travaille pour l'homme, à l'intérieur d'un système de régularités dont découle son agencement. Pour la grande majorité des humains intégrés à l'âge des machines, le succès de la raison semble totalement vérifié et concrétisé par celles-ci. Apparemment, elle passe tout entière dans les machines, à tel point que c'est à elles — et non le contraire —

qu'elle a l'air d'emprunter son infaillibilité. Et le fait est que cette infaillibilité est en quelque sorte accumulative, la machine constituant désormais un prolongement mécanique, un mécanisme opératoire de la raison.

Inversement, la raison peut apparaître comme le système d'ensemble, la machine intégrale, dont les machines ne sont que les mécanismes et les moyens. Toute simplifiée qu'elle est, cette vue de la raison est d'un grand attrait pour l'intelligence, car elle est liée à celle d'un univers entièrement intelligible en puissance et dont le mouvement serait une articulation de séquences causales, la cohérence une architecture de principes rationnels. Le rêve d'un monde (humanité comprise) totalement transparent à l'intelligence est l'une des ivresses les plus froides mais les plus entêtantes de la pensée.

Et pour cause ! L'idée que toute activité humaine puisse un jour s'insérer dans la rationalité globale du monde est sans doute une utopie, mais une utopie partiellement réalisée, dont la réalisation toujours plus parfaite semble rester indéfiniment possible. Or l'intelligence, en tant qu'elle ne se détache pas de la raison, fait naturellement d'elle le sujet de la rationalité du monde, allant parfois jusqu'à confondre cette rationalité et la raison. Quand la raison devient un système clos infailliblement opérant, elle ne peut que s'admirer elle-même, quitte à désespérer d'être enfermée en soi. Car elle est bien le sommet de l'intelligence naturelle, et sa lumière est sans ombre sur l'entendement objectif. Elle constitue l'unique certitude de celui-ci contre l'invasion de la subjectivité, avant-garde des légions des ténèbres. Son magistère intellectuel est si évident que s'expliquent sans peine les mutilations spirituelles que ses adeptes extrêmes se font subir : car tant que règne la seule raison, l'esprit n'est pas encore, et son germe, qui est souvent angoisse existentielle, peut sembler une limitation provisoire à réduire, une zone non encore éclairée de l'humaine réalité.

Ou plus probablement « une passion inutile ». Notre

atmosphère intellectuelle est moins l'athéisme que l'agnosticisme définitif : le parti pris par l'intelligence d'*être* seule. Ce parti pris, c'est l'objectivité, mot signifiant que toute chose est considérée comme objet réductible, et seulement en tant que tel. Le réel change : seules demeurent des permanences ou quasi-permanences abstraites, structures, lois. Pour qui les choisit jusqu'au bout, l'idée de « nature » même humaine relève bientôt de la mythologie. De ce choix qui bouleverse tout l'espace de la pensée, découle une efficacité immédiate si spectaculaire que l'intelligence peut la tenir pour la preuve de sa validité exclusive dans le monde choisi fini, monde des moyens, des actions efficaces, plutôt que des fins contemplées. La raison devient la consistance croissante de la finitude agissant sur elle-même, à la fois consolidée et élargie, contraignante et conquérante. La prison se modernise, elle s'ouvre même et devient l'univers en expansion : elle n'en reste pas moins une centrale qui ramène tout homme à elle.

Le surprenant accroissement de nos moyens d'agir sur le monde commence avec la raison objective, mais s'accélère sans limite prévisible à partir du moment où elle prend l'homme pour objet au même titre que les autres phénomènes qu'elle étudie ou provoque dans l'univers. Nous verrons plus loin quelles contradictions peut entraîner cette objectivation de l'homme, sujet-objet : objectivation qui, en fait, entraîne la mort de l'idée de l'homme. Ne nous intéresse à présent que le droit que l'intelligence s'est donné d'expérimenter sur l'homme soit directement, soit dans un champ d'expérimentation plus générale où il est implicitement compris. La conquête atomique par exemple, même si l'on en isole l'abomination d'Hiroshima, est une expérience plus ou moins directe sur l'homme. De même, les modifications à grande échelle de la nature et de l'environnement le seront de plus en plus, sans parler de ce qui condionne l'homme déjà, la publicité, les mass media, étudiés en fonction d'une demande et d'un effet réciproquement déterminés. Quant à la médecine, sa tendance presque universelle est de traiter l'être humain comme un système mécanique ou comme un psychisme mécanisé en complexes : au mieux, comme une structure psychosomatique ; l'idée que « l'ensemble humain » puisse être une forme spirituelle échappe à l'objectivation. En biologie, une postulation analogue permet aux mécanistes de triompher des vitalistes, par réduction des phénomènes à des processus physico-chimiques. Il serait vain de nier que cette réduction opère : mais il faut ajouter sans lapalissade qu'elle opère parce qu'elle est une réduction. En d'autres termes, l'intelligence ayant choisi d'imposer à la nature un ordre universel auquel l'homme lui-même n'échappe pas, la nature répond constamment à ce choix actif par une information totalement cohérente, dont la matière est l'homme au même titre que les autres phénomènes de l'univers. Comme le choix agit en vue de modifications toujours plus rationnelles par des instruments appropriés, il va sans dire que, du moins théoriquement, une rationalisation de l'existence humaine en ce monde apparaît de plus en plus possible. Cet homme qui s'est objectivé lui-même en vue de sa rationalisation est dès maintenant soumis à cette rationalisation objective qui d'effet est devenue cause, on pourrait presque dire cause de soi.

Il importe peu dès lors de percevoir, comme le font certains savants avec une angoisse parfois désespérée, l'irrationalité résiduelle ou massive de la part non encore découverte du monde, ou même de ce qui, dans sa part connue, échappe aux mailles de la raison. Le hasard n'est pas un épouvantail pour l'évidence rationnelle, qui s'en accommode et le fait entrer dans ses desseins. Quant au constat que les lois de raison n'épuisent pas la signification de l'univers, ou même qu'en fait elles le laissent sans signification véritable, il n'a rien qui puisse troubler la confiance que l'homme témoigne au savoir rationnel dans le domaine propre à celui-ci. Certes, ce constat est d'une importance capitale pour les adversaires de l'absolutisme de la raison, à condition qu'ils soient capables de donner substance à leur besoin de signification, ou plutôt de faire apparaître la signification comme une donnée objective d'un autre ordre que la donnée rationnelle : tâche difficile, puisque le besoin de la valeur est essentiellement lié à la valeur même et qu'il faut, pour établir la notion de « signification véritable », transcender, en les réconciliant, objectivité et subjectivité. Or, le langage qui permettrait de s'orienter vers cette transcendance est depuis longtemps, de manière arbitraire, exilé du champ global de la raison : c'est le langage du symbole, et si l'on veut juger combien nous en avons altéré l'intelligence, au point de n'en faire qu'un patois résiduel des parties primitives de l'être, il n'est que d'étudier l'évolution du concept de symbole jusqu'à son état présent d'inanition.

Que la raison n'ait d'autre signification qu'elle-même et son seul exercice, corroboré par la sûreté de son résultat objectif ; ou, au contraire, que la perfection de cet exercice et du savoir grandissant qu'il amasse l'amène à se poser la question de sa propre limite, qui est le sujet ; qu'elle se conçoive pure, abstraite de son support humain, idéalement légiférante, ou au contraire limitée par elle-même, incommensurable au mystère et d'abord au sien propre, voire entachée d'un péché qui serait sa propre limitation : ce choix ou non d'une intuition qui l'englobe est d'ordre métaphysique, et peu de ceux qui se servent d'elle le font. Mais ne pas le faire revient implicitement à la prendre pour norme effective, en écartant, ou en refoulant dans le for intérieur, la recherche d'une signification substantielle. Dans l'immédiat et l'ordre des apparences, je l'ai dit, « ça marche à tout coup ». L'acquis de la science la plus récente, et plus encore peut-être de la technique qui en dérive et la soutient, ouvre-t-il donc une perspective indéfinie ? C'est une autre affaire. Un développement indéfini serait-il d'ailleurs souhaitable, à supposer qu'il fût possible dans l'état actuel de nos pouvoirs d'assimilation ? Idéalement, cette expansion peut paraître exaltante ; concrètement, elle a de quoi susciter l'effroi. Il semble que la capacité d'une synthèse globale diminue à mesure qu'augmentent la diversité et la minutie des spécialisations : ce qui ne devrait pas être sans inquiéter la raison elle-même sur son appauvrissement et son émiettement éventuel. L'équilibre des activités de la raison tient-il à une réalité plus vaste qu'elle, et qui, méconnue, manifeste son besoin par l'apparition d'une mentalité sauvage, l'irruption de l'irrationnel, le temps des fous ? C'est une question que la raison ne peut résoudre à elle seule : tout au plus peut-elle l'ouvrir en soi comme un abîme qui ne se laisse point oublier.

L'irrationalisme, la folie, ou simplement les formes marginales d'un refus qui, faute d'atteindre la raison même, se contente de scandaliser par ses incongruités le sérieux puritain de celle-ci, sont évidemment des tentatives plus ou moins organisées d'équilibre compensatoire, dont le nombre et sans doute l'audace croîtront à mesure que les énergies subjectives seront davantage endiguées. Or la subjectivité ne se réduit pas à la seule intériorité de la personne, avec ses instincts, ses affects, ses aspirations idéales, voire sa vocation unique : le subjectif peut être aussi une réalité sociale, une identité contagieuse de masse, qui brusquement, par contagion et osmose, se substitue, en l'absorbant, à l'identité personnelle. Plus est poussée la spécialisation des disciplines rationnelles, plus l'atomisation de l'être incapable d'une vue totale affecte le sens que les hommes ont d'eux-mêmes. A la longue, ce processus peut mettre en péril le principe unitaire de la raison. Mais déjà, dans l'humanité quotidienne, l'effacement de tout pouvoir unifiant, de toute pensée créatrice globale à quoi donner une adhésion personnelle, favorise une division schizoïde que d'ailleurs les techniques de masse exploitent rationnellement. Non seulement donc la situation absurde dérive de la suprématie rationnelle, mais la technique des sociétés humaines, soucieuse de rationalisation efficace, canalise l'absurdité et l'entretient à ses propres fins.

Voilà donc refermée sur soi, comme un mur autour d'un chemin de ronde, l'activité exhaustive de la raison. L'homme rationnel en est fier, même emprisonné par elle ; et fier plus que tout d'en être emprisonné. Peut-être ne voit-il pas clairement où le mène cette raison purement immanente, qui le contrôle de mieux en mieux jusque dans ses folies. Et si elle le menait à l'incommunicable ? Connaissance théorique et savoir-faire technique risquent d'être de moins en moins à portée de l'homme quotidien qui n'en recevra que la quantité d'information nécessaire à sa besogne, l'information supplémentaire prodiguée par les mass media constituant non pas un véritable savoir, mais une vulgarisation de propagande, oubliée à peine enregistrée. La science concerne tout homme, qu'il le veuille ou non : mais la meilleure manière de lui rendre sensible cette relation est-elle de lui donner la fugace illusion d'une connaissance par images frappantes, sans queue ni tête au demeurant pour qui en ignore le contexte global ?

En fait c'est de puissance, plus que de connaissance, que de telles images lui parlent. Il est conduit à penser que la science peut tout sur l'homme, encore plus que sur les choses, et même s'il n'en conclut pas qu'elle sait tout sur lui, sa révérence à l'égard du savoir appliqué contient un fond de terreur latente. Enfermer la pensée scientifique dans la superstition que ses réussites créent dans le public, serait préparer un nouvel esclavage, un système de domination d'autant plus énorme que nul, même pas le savant, ne serait à même de le saisir tout entier. Il y a fort à parier que ce système serait politique, la science n'en étant que le moyen. Comment l'éviter ? En brisant la muraille du déterminisme, en venant à bout du fatalisme né d'une certaine conception du savoir. La clef de la prison, la clef même de la joie créatrice, est de nature métaphysique. Cesser d'identifier rationalité et esprit, c'est ouvrir à la raison sa propre cage ; c'est intégrer le comportement scientifique dans l'ensemble des comportements humains, dans la conscience que l'homme total a de lui-même ; c'est rendre possible à toutes les sciences la voie d'une synthèse spirituelle où la raison soit en même temps unifiée et orientée.

La tentation technique naît de l'agnosticisme d'une raison à laquelle son adéquation au réel ne pose aucun problème : elle se contente d'y appartenir, d'y être active par une maîtrise toujours plus grande et une subordination toujours plus étendue. En lui-même, ce comportement est neutre : peut-être le reste-t-il, grâce à l'émoussement du sens métaphysique, chez un grand nombre de savants. Mais chez les techniciens, les opérateurs, une telle neutralité est peu concevable : la réussite est efficacité, et l'efficacité puissance. La tentation technique est une des formes de la *libido dominandi.* A ce niveau d'intelligence, la raison est esclave de ceux qui la manient : n'ayant nul critère absolu de vérité, et n'étant que le devenir du réel scientifique qu'elle dégage d'une expérience d'où, sous toute autre forme que l'abstraction opératoire, l'humain est éliminé avec rigueur, cette raison est aussi arbitraire que la force pure, dont elle est un des aspects. Elle ne mérite plus le beau nom de raison, car celle-ci dans sa vérité est vertu, poursuite et reflet de la Vérité à travers toutes les vérités relatives.

En succombant à la tentation technique, l'homme triomphe et s'anéantit. Ou plutôt il croit triompher, mais à coup sûr il s'annihile. Il se soumet tout le premier, sans restriction découlant de sa nature, aux opérations et aux conséquences de sa technicité. Cette nature humaine qu'implicitement il traite comme un chaos de purs phénomènes, il la nie explicitement au nom du traitement qu'il lui fait subir. En se vouant tout entier à l'entreprise de sa propre mécanisation, il sacrifie la valeur à une algèbre arbitraire, moins sûre, incomparablement, que celle du mathématicien : il n'est, pour s'en convaincre, que d'examiner quelques-unes des formules et des équations d'une certaine linguistique. Cerné, investi, pressé de forces et de raisons extérieures contre lesquelles il semble ne lui rester ni force ni raison, le cœur humain, naguère principe d'unification substantielle, découvre avec effroi son propre vide, ou plutôt le vide qu'on le persuade de découvrir en lui.

Mais quelle est l'ultime raison de tant de raisons et d'énergies convergentes, mobilisées pour miner ensemble la foi de l'être humain en son unicité ? Sous la gratuité apparente d'une spéculation scientifique ou prétendue telle, se cacherait-il un instinct croissant, parvenu à sa phase finale, de massification, de collectivisation mécanisée ? Quelque méfiance que j'aie pour toute interprétation gnostique du monde, il m'est difficile d'échapper à une interrogation sur la chute inhérente à l'histoire, sur la possible et fatale entropie d'une humanité régie par la loi des grands nombres, enfermée dans le réseau toujours plus étroit d'une absurde prévisibilité. Plutôt que la vision futuriste d'un univers que, restés seuls, se disputeraient l'homme et l'insecte, structures sociales également mécanisées, l'idée que suggère cette interrogation est celle du combat toujours actuel, au-dedans et autour de l'essence humaine, entre liberté et nécessité.

La liberté est indivisible de l'essence : elle est dedans, elle est le dedans. La nécessité est un autre nom de la régularité universelle : elle est partout où l'essence n'est pas, et d'abord dans l'homme mutilé de l'essence. Si l'homme ne trouve pas en soi la limite absolue de sa propre nécessité, alors malheur à notre espèce totalitaire qui en ce moment, sous nos yeux mêmes, accomplit sa destruction ! Toute nouvelle détermination extérieure, toute grille d'interprétation collective conduisant à réglementer le nombre au lieu de libérer l'individu, toute planification qui s'applique à l'humain comme à un ensemble de grandeurs mesurables, en un mot toute « régulation » massive qui tient pour nul l'ordre spécifique du cœur et donc accroît son *endurcissement,* renforce la nécessité en introduisant paradoxalement le hasard et entraîne le recours à des déterminations, à des « régulations » nouvelles. C'est que l'énergie imprévisible de l'homme, sans cesse à nouveau refoulée, se manifeste toujours à nouveau par une anarchie grandissante, qui peut elle aussi, paradoxalement, prendre la forme d'une fausse inertie.

Cette conception mécaniste de l'homme, née d'intelligences dont le grand souci est de s'approprier le futur, est de ce fait essentiellement à courte vue, car elle prive le regard de sa dimension transcendante : elle ne fait qu'accélérer une temporalité de plus en plus précipitée. Le totalitarisme, « forme » de l'entendement moderne, n'est qu'une tentative d'intégration désespérée de cela même que son effort d'organisation rigide rend de plus en plus informe et proliférant. Cette mise en ordre rigoureux commence par la mutilation de la raison même qui, pour préserver son auto-suffisance, s'interdit de se penser. Des terrorismes, intellectuels et politiques, parachèvent ainsi mieux que la cybernétique elle-même l'investissement de l'homme contemporain. Des désordres de plus en plus profonds, enfouis dans la part peu accessible de la substance, leur préparent aussi un tragique contrepoids.

L'arme de la terreur, aujourd'hui, est de préférence le rire, au moins chez les intellectuels. Rire décharné, antithèse de la fête, signe de mort chez le rieur, fauteur de mort sur l'objet du rire. Ce qu'il tourne en dérision, c'est le cœur : le ridicule tue, assure-t-on ; mais au prix de quelle contrainte, de quelles opérations contre-nature, le cœur l'est-il devenu ? La réalité humaine dont ce rire se moque est un tabou contre quoi ce rire est lui-même une risible protection. Car le rire fait de cette réalité un chaos, à l'égard duquel sa défense est vaine : le rieur, son propre automate, est livré, vide et sans pouvoir, à la multiplicité des sollicitations, indéfiniment, démentiellement renouvelées. Leur miroitement hallucinatoire défait l'être et le maintient hors de soi-même, en état de permanente fragmentation. Tout rit sans cesse de tous côtés, tout cligne de l'œil, s'éteint et s'allume ; tout projette, extasie, exorbite, provoque et entretient l'hystérie ; l'intelligence, enveloppe du moi, est rétine, papille, épiderme ; sempiternellement surexcitée, elle se partage — se partage-t-elle ? — entre frénésie et dégoût. Acharnée à se donner le spectacle de sa propre inanité, elle est à la fois obsédée et blasée, incapable, par excès de refus, de concevoir son retour à sa source. Le rire impersonnel, mécanique, produit de dessication de l'humain, est l'éclat de ce refus collectif, refus de glace qui mure l'accès du cœur au rieur aboli par son rire.

Aucun dialogue n'est possible avec ce rire : il est vermine, légion de termites, fermentation, décomposition. Chacun le porte en soi, danger continu de gangrène : s'y abandonner si peu que ce soit, s'en faire le complice, est périr. Car le sophisme, dont il est l'absurdité résiduelle, est un processus de désintégration en chaîne qui ne respecte rien. La multiplication indéfinie des produits de la technique est l'aspect matériel de ce sophisme généralisé. A l'incoercible expansion du sophisme correspond paradoxalement une concentration totalitaire dont il est comme le négatif. L'opposition factice entre société de consommation et pénurie collectiviste dissimule deux formes parallèles, plutôt que deux phases, d'un même mouvement global : la réduction de l'être personnel, là par l'abondance et l'anarchie, ici par le manque et la contrainte. On sait le rôle que, dans l'histoire, jouent de plus en plus la risée et les huées. Ce sont des machines à broyer l'identité : le sarcasme libertaire peut aisément se muer en tollé totalitaire. Mais la forme la plus insidieuse de la dérision, c'est, d'un côté, l'hypertrophie des vains besoins, de l'autre, l'autarcie de la disette, deux apparences contraires du monstre temps, dévorant et insensé. L'homme total, l'homme de l'ère cosmique, agencé pour la mobilisation des grandes masses et la conquête des astres lointains, est aussi l'homme nul, éviscéré de sa capacité d'être, privé du simple pouvoir de durer.

Cet homme total se prend infiniment au sérieux, c'est lui qui rit, superbement, de la prétention de l'homme nul à sa liberté personnelle. L'homme nul n'a pas le droit de rire : d'ailleurs, par toute une part spécifique, il se reconnaît dans l'homme total. Nous ne pouvons, sans nous renier, nous dissocier, par une grimace débile, de la mystérieuse aventure humaine. Pourtant, il est vrai que cette aventure demeure vide tant que l'homme total n'est que la somme des hommes nuls. La quantification croissante de l'humain est-elle inhérente à la civilisation technicienne, celle-ci aggravant celle-là et réciproquement ? Ou bien faut-il, par une nouvelle et éternelle philosophie des valeurs, arracher la civilisation technicienne à sa propre chute dans la quantité sans mesure, intégrer l'homme total à la personne humaine, plutôt que de réduire celle-ci à l'homme nul ? Sans *raison d'être* fondant et gouvernant sa raison, l'homme est mort, son monde est perdu. Presque tout ce qui se passe au monde et s'y accélère semblerait nous en convaincre, et le « rire philosophique » s'y emploie comme il aide à cette accélération. Qui sauve donc ? Qui ressuscite ? Pour ceux qui voient dans ce dernier rire la triomphante tristesse du démon, cette interrogation est la question philosophique essentielle.

L'IMAGINATION AU POUVOIR

Qu'est-ce qui sauvera la raison, l'homme dans l'homme ? Cette question, posée *aujourd'hui,* dans les conditions de vie qui sont en train de devenir les nôtres, appelle à une culture pour notre temps. Si elle avait une réponse toute faite, par exemple dans notre héritage culturel, la question ne se poserait pas. Pour y répondre, il faut ébaucher du nouveau. Cette ébauche ne peut se conformer à aucune théorie existante de la culture : elle doit épouser, avant de leur donner forme, les modifications de l'homme moderne et de son milieu. Cela ne veut pas dire qu'elle ne reprendra pas à son compte des expériences très anciennes, d'éternels besoins de l'homme. Elle redécouvrira peut-être toute une part de l'héritage, oubliée ou mise au rebut. Elle ravivera des puissances atrophiées par certains transferts de civilisation et certains grands choix ontologiques. Tout renouvellement dans l'homme est aussi une renaissance : est-il besoin de rappeler qu'à de tels moments de l'histoire, l'esprit et la psyché, individuellement et collectivement, sont le siège d'une activité qui partiellement leur échappe et qu'ils *endurent* avec des sentiments contradictoires d'enthousiasme et de désespoir ? L'être de l'homme est assez grand pour les pâtir ensemble, partagé entre tout ce qu'il croit perdre et ce qu'il est encore incertain de créer.

Chez les catholiques, le mercredi des Cendres, le prêtre marque les fidèles d'une croix de cendre au front. Ce rite si émouvant est, encore aujourd'hui, un des plus aimés dans l'Eglise. Mais la formule en a changé, puisque au lieu du *Memento, homo,* qui rappelait l'homme à sa cendre future, le prêtre dit maintenant : *Change ton cœur, et tu vivras.* Pour qui réfléchit, ces deux expressions se réfèrent à une même réalité, dont la mort et la résurrection sont les deux phases. A un même *acte,* oserai-je avancer. Parce que je crois à la vertu des symboles, je ne vois nulle indiscrétion à proposer celui-ci à des non-chrétiens. Change ton cœur : cette intimation à ressusciter (l'analogue du *Lève-toi et marche* qui m'émerveille et me terrifie à la fois parce que le paralytique *ne peut pas* se lever et pourtant *reçoit l'ordre* de faire cet effort impossible, qui est le prix qu'il doit payer pour marcher), ce commandement reçu donc en plein cœur m'est adressé *à moi* en même temps qu'à cette foule d'autres. Changer son cœur, c'est changer sa vie : accomplir ensemble ce changement, c'est changer *la* vie. Je ne puis pas changer mon cœur sans modifier toutes mes relations avec mon milieu, où j'introduis par là même, si peu que ce soit en apparence, un facteur de changement. En fait, ce n'est pas moi tout seul que je change, pour quelque égoïste salut : c'est le vieil homme qui commence à tomber en poudre, et l'homme nouveau qui naît. Memento, *homo :* toi, l'homme que tu es ; mais indivisiblement toi, *homme.* Cette injonction à l'homme en ma personne me retire de ce néant, l'individu. Changer mon cœur, c'est cesser de dire : moi je. C'est dire : *je* comme un acte de foi dans l'homme. Affirmation radicale de l'être libre, le pronom *je* l'est aussi du lien social. Il n'y a pas de vrai *je* sans *nous.* C'est ce qu'apprend aux chrétiens le *Notre Père,* appelé justement prière universelle ou sacerdotale, qui est, entre autres choses, une célébration de la communauté humaine, une charte, à quelque niveau qu'on les situe, des rapports entre les hommes.

Beaucoup voudraient voir changer la vie. Mais la vie ne change d'elle-même que vers la décrépitude et la mort. Une révolution de style totalitaire, faite par des appareils et non par des hommes aspirant en commun, peut bien briser la société comme un coupable condamné à la roue, pour la forcer dans ses schémas théoriques : elle rendra l'existence méconnaissable, invivable même, elle ne changera pas la vie pour autant. Vieille querelle ! Les uns disent : changez la société, et les hommes changeront ; les autres : que les hommes changent, et la société changera. Et les uns attendent un grand homme, un Lénine ou un Mao ; les autres, un ange qui les plonge dans la piscine. Mais l'idée d'une conversion simultanée, réciproque, des esprits et de la forme sociale, semble moins réalisable aujourd'hui que jamais dans nos sociétés si énormes que l'individu s'y sent d'avance annulé. D'autre part, cette idée de « conversion » n'est pas une idée apprise. Elle va même très fortement à l'encontre de celle qu'on enseigne de nos jours un peu partout. L'unité humaine n'est généralement pas conçue comme un réseau de libertés, de diversités inter-agissantes et solidaires, mais comme une imposition totalitaire, « solution finale » d'un pur problème de l'esprit. Cette fatalité est tenue pour évidence scientifique par un nombre impressionnant d'alphabétisés. Il est vrai que le système intellectuel qui part de cette belle évidence pour revenir se boucler — et nous boucler — sur elle, est si parfaitement huilé par tant de scoliastes qu'aucun fait historique ne peut désormais le mettre en défaut. Il a tous les mérites, hélas ! souvent désastreux, d'une idée simple. Et tous les droits, dont celui, absolu, de faire des procès d'hérésie au réel. La proposition beaucoup moins évidente et modestement opérative selon laquelle, du même acte par lequel nous nous changeons ensemble, nous pouvons aussi, inséparablement, commencer à changer la société, est tenue pour une prétention subjective tout à fait déplacée, « dépassée », dans le « contexte » scientifique où nous sommes : elle est donc vouée à la risée.

Je suis de ceux qui en prennent d'autant plus facilement leur parti que je sais pertinemment ce que ma modeste proposition entraîne : un changement copernicien de nos habitudes de pensée. Il s'agit de transférer de l'intellect à l'imagination le siège de l'unité humaine, c'est-à-dire de restaurer *dans sa nature* et dans ses droits une énergie que l'intelligence soi-disant « rationnelle » a défigurée et brimée *systématiquement* depuis des siècles dans le monde occidental. Et cette réfection de l'imagination ne peut être qu'un gigantesque phénomène de convergence, mettant en œuvre de proche en proche, par la logique interne d'un *désir* de plus en plus communicatif et ordonné, des groupes humains décidés à rebâtir sur tous les plans de la réalité la véritable *Cité de l'être.* Car la beauté de cette entreprise multiforme et une apparaîtra de plus en plus à ses pionniers dans la révélation des analogies qui établissent entre toutes les fonctions humaines une corrélation fraternelle, un échange continu d'informations. Le décloisonnement tant souhaité délivrera notre société de l'asphyxie que ses spécialisations lui préparent, et les spécialistes, de la myopie de leur spécialité. Et la première spécialisation qui doit disparaître est la spécialisation de l'intelligence qui divise le monde en deux grandes races d'hommes : les « cérébraux » et les « manuels ». Comme les « cérébraux » sont partout aux leviers de commande, ils sont les mieux placés pour faire en sorte que soit abolie cette ségrégation. Elle ne le sera pas durablement sans un puissant effort spirituel des « cérébraux » et des « manuels » œuvrant ensemble à la synthèse supérieure des trois grandes énergies de notre être, mutuellement régénérées.

Il y aurait à faire toute une histoire du rationalisme — ou, si l'on veut, de l'imaginaire colonisé par la raison — pour montrer par quelle terreur intellectuelle et quelles tortures infligées à l'imagination la « raison » moderne a établi son empire. L'imagination s'est vu chasser du réel, on lui a crevé les yeux pour les priver de la lumière de l'intelligence, puis on l'a exilée dans les ténèbres de l'illusion, où parfois on la traquait comme sorcière pour le seul crime d'exister. Elle qui était, dans la triade motrice de l'âme, l'élément coordinateur des apparences diverses du réel, le passeur entre le rêve et la veille, l'accordeur, au-dedans de l'homme comme entre l'homme et le monde, de la complexité si changeante des rythmes et des temps ; elle qui savait que l'espace n'est pas que linéaire, que le développement n'est pas que successif, mais que toute forme de vie, tout homme donc et toute société d'hommes, évolue en même temps, sans que son unité soit compromise, sur des plans différents et selon différents ordres de durée, de sorte par exemple qu'un adulte continue d'être cet enfant qu'il fut, qu'un enfant est déjà, même s'il ne le sera jamais, cet adulte qu'il n'est pas encore ; elle que Pascal, qui lui devait tant et le savait, n'en accusait pas moins d'être « maîtresse d'erreur et de fausseté », alors au contraire qu'elle avait fait un seul don et de l'observation du concret et de l'intuition symbolique ; elle qui, dans sa tâche intégrante, protégeait l'esprit et les choses de toute simplification arbitraire, par souci de maintenir ces correspondances intimes qui conditionnent l'équilibre global ; elle, gardienne du mystère de l'homme, raison ardente contrôlant l'être obscur par la médiation de ses grandes images, surgies d'associations fulgurantes, dont la cohésion pélagienne était la profonde assiette de l'esprit ; elle, la Mère, génitrice de toute invention, éducatrice de la sensibilité universelle, sainte *Ratio* nourricière du cosmos, a dû subir d'une « raison » mesquine et dévoyée, d'une *a-raison* privative de l'homme total et conséquemment de la raison dans l'homme, une humiliation spirituelle sans exemple dans l'histoire de la pensée. Ce que voulait cette « raison » ambitieuse, arrogante et avare, c'était s'assurer aux moindres frais et le plus rapidement possible le *pouvoir* sur le monde et sur l'homme, en les ramenant à la peau de chagrin d'une apparence de mieux en mieux contrôlée, de plus en plus « dé-réalisée ». Il lui fallait ôter le droit d'exister à tout ce qui lui échappait par nature : elle n'eut pour cela qu'à diviser l'homme en deux, la partie lumineuse — elle-même — et la partie aveugle, « irrationnelle », progressivement réduite à l'état de vestige et bientôt vouée à disparaître à jamais. C'est ainsi que la « raison » devint ce qu'elle est, un cancer totalitaire, l'Utopie unique et définitive, dont les fanatiques, suprême imprudence, accusent l'imagination de ces enchaînements irréels qui sont la tare de l'abstraction généralisée.

Le pire, dans cette immense machine à faire le vide qu'est en train de devenir la connaissance, est que les lois de la pseudo-raison, inventées par l'imagination devenue serve, s'appliquent de plus en plus strictement aux choses et n'épargneront pas l'homme lui-même, s'il ne parvient à y échapper en libérant et réunifiant l'imagination. Pour l'instant, les *disjecta membra* de celle-ci vivent chacun de leur côté leurs aliénations différentes. L'imagination scientifique, cantonnée dans les laboratoires, donne à la « raison » technicienne les moyens théoriques de son pouvoir ; la poésie, seul de tous les arts, est tolérée dans les écoles jusqu'à un certain âge, comme une espèce de calligraphie verbale qui exerce on ne sait trop à quoi, et que l'adulte s'empresse d'oublier ; cependant qu'au fond de la psyché collective, dans les espaces redevenus sauvages de la sensibilité, erre et s'agite une force démente que tous les thérapeutes et toutes les polices sont de moins en moins capables de réprimer. Ainsi la plus urgente question, qu'il faut poser de manière globale, afin de l'examiner exhaustivement sous chacun de ses aspects (urbanisme, démographie, éducation, mass media, etc.), est-elle tout crûment de savoir comment sauver l'homme moderne de sa démesure, de sa folie : et c'est — il faut le répéter sans répit — une question philosophique.

Je me contenterai de quelques remarques sur deux activités collectives qui modifient profondément notre psychisme individunel et social, à savoir l'Education nationale et les mass media ; et de suggérer comment pourrait s'y ébaucher cette réorientation vers l'unité, cette réintégration des puissances redevenues solidaires dans l'homme. Il va de soi que d'autres aspects de l'organisation moderne, en premier lieu ce phénomène formidable et jusqu'ici mal maîtrisé, la concentration urbaine, demanderaient une étude parallèle et menée à fond ; et qu'il importe en général de diagnostiquer plus complètement que je ne puis le faire ici les redoutables résultats d'une hypertrophie de l'abstraction et des carences de l'être qui lui sont liées.

Le grand Espagnol José Bergamin, poète septuagénaire et donc incorrigible, auteur d'une *Decadencia del analfabetismo,* que tout professeur lirait avec profit, venait quotidiennement, en mai 68, prendre au quartier Latin son bain de jouvence. « On y voit de si jolies jeunes filles ! s'extasiait-il. Et que de bêtises on y entend, que de bêtises, c'est merveilleux ! » Il se trouvait un jour au milieu d'un groupe de jeunes, face à la statue d'Auguste Comte cravatée d'un foulard rouge. « On devrait bien l'ôter, dit-il. — Quoi ? le foulard ? — Non, la statue. »

Personne, pendant cette insurrection poétique, n'a pensé à déboulonner le Père Système. Personne, sauf un vieux poète qui en savait trop sur les révolutions. Auguste Comte trône toujours : l'enseignement, ce trust positiviste en faillite, refuse encore de déposer son bilan. Mais l'école entière est en désarroi : elle ne se comprend plus elle-même, elle a perdu son esprit de corps. Il ne faudrait pas que la hargne de quelques-uns fît oublier l'interrogation inquiète des autres, la recherche passionnée de certains. Que de maîtres aspirent à l'*aggiornamento* de l'école ! Seulement, l'Education nationale est à l'image exacte du système étatique, dont elle est l'un des complexes vitaux. Tout s'y emboîte à un tel point de précision que ses agents, *nolens volens,* sont solidaires de l'intégrité d'une structure qui, se perpétuant, perpétue aussi leur fonction. Or, en ce temps de mue historique, ce ne sont pas seulement les méthodes, c'est la fonction qu'il faut mettre en cause, et l'enseignement même comme fonctionnariat.

Chacun, à ses dépens ou non, sait qu'en France on n'arrive à rien sans passer par la filière des examens. Notre République est toujours celle des bons élèves et des grands professeurs : une série d'épreuves décide souvent d'une existence. Or, s'il est une qualité qui rende inapte à passer brillamment des examens, c'est bien la saine méfiance à l'égard de la clarté venue trop vite. L'aisance avec laquelle, grâce à notre mirifique système d'éducation, un « sujet doué » à peine pubère divise en trois points un « problème » de philosophie ou de psychologie qui, dix minutes auparavant, ne lui avait peut-être jamais effleuré l'esprit et d'ailleurs lui indiffère, aurait de quoi nous confondre si nous n'avions été formés nous-mêmes à ce « mécanisme », comme on le nomme si bien. Un enseignement où l'on est si pressé de *mettre de l'ordre dans ses pensées* n'en a sûrement aucun qui vaille, ni sans doute aucune pensée. Croire que l'ordre est synonyme de cette « clarté » en trois ou *n* points témoigne d'un manque d'imagination inquiétant, et d'une irresponsabilité, d'une frivolité même, inadmissibles à l'égard des idées. On baptise « méthode » un *truc* qui fonctionne, quel que soit l'objet auquel il s'applique, parce que cet objet n'a aucune importance en soi et n'est qu'un prétexte à l'acquisition réflexe du *truc,* lequel n'a d'importance lui-même que pour réussir à l'examen. C'est ainsi que l'intellect, par habitude, en vient à s'identifier à ce *truc,* à ce procédé infaillible pour vider l'idée de toute substance et le réel de toute réalité. Et quand le *truc,* astuce suprême ! devient *dialectique,* alors n'importe quel khâgneux[1] se sent en

1. Ledit khâgneux subit d'ailleurs en quelques mois un monstrueux gavage de « connaissances », qu'il n'acquiert nullement pour les connaître, c'est-à-dire pour se former par elles, mais qu'il accumule en vue de les régurgiter au concours d'entrée. Il serait

droit de démonter comme un moteur poussif l'immense effort des âges jusqu'à nous, la mystérieuse dynamique des âmes.

Je n'ai rien contre les petits vieux qui, à vingt ans, démythifient avec allégresse le sacré ou psychanalysent doctement leur mère. J'étais tout aussi « brillant » à leur âge ; heureusement, ce brillant m'a quitté. Mais j'en ai au système qui transforme des intelligences naturelles en roquets dialecticiens ou en singes prétentieux. Et cela en quatre petits semestres, moins de temps qu'il n'en faut pour faire un bon maçon ou un vrai fumiste ! Cette « science » juvénile et la terminologie qui la diffuse font un brouillard à couper au couteau. Ils en sont fiers : et pourtant, secrètement, certains étouffent. Leur pensée est sans atmosphère, sans amour. Ils connaissent tout sans avoir eu d'expérience de rien, ils jugent de tout sans avoir jamais rien éprouvé ni même se demander ce que le mot sentiment signifie. Ainsi « formés », à quoi sont-ils bons ? A purger sagement leur temps de Centrale, car à l'Université, contrairement aux autres prisons, les meilleurs éléments subissent leur peine jusqu'au bout. Ces jeunes sorbonicoles, c'est de la graine de capétien, ou d'agrégé,

intéressant de faire l'inventaire de ce qu'il *sait* vraiment dans ce qu'il sait.

Note de la 3e édition. Ces quelques lignes sur les khâgneux m'ont valu force protestations indignées. Le président de l'Association des anciens khâgneux m'a rendu visite pour me convaincre que je me faisais une idée fausse de la formation de ceux-ci, qui n'est, me dit-il, ni un gavage ni une régurgitation, mais le seul enseignement capable de donner des esprits vraiment libres. Les inspecteurs généraux de français ont chargé leur doyen de se plaindre au ministre de mes « sarcasmes ». En général, les pages 148 à 155 de ce livre, publiées en bonnes feuilles par *le Monde*, ont suscité pour et contre elles des correspondances passionnées de gens qui souvent n'avaient pas lu le livre lui-même. J'ai été traité par certains professeurs de stalinien, par d'autres de gauchiste, par un autre enfin de théoricien tout trouvé pour un néofascisme en quête de maîtres à penser. Il est vrai, ce qui blesse quelques-uns, que ces pages posent entre autres la question de la double hiérarchie du recrutement, sujet tabou dans certains milieux de l'Education nationale.

ou, *natura facit saltus,* d'ancien élève de Normale Sup. Vingt ans de vie et souvent davantage, une longue incarcération ! Parfois le tiers d'une existence humaine vécu entre des murailles de livres et des cloisons de cahiers de cours.

Et après ? Les plus chanceux, normaliens en tête, tâchent surtout de ne pas faire d'enseignement. Cette phobie s'explique : ils sortent d'être couvés et savent comment on les a faits (ou défaits). Leur idéal, c'est de « faire de la recherche » : à moins qu'on ne leur confie quelque responsabilité administrative (ou, pourquoi pas ? pédagogique) dans un cabinet ministériel. Restent les sans-grade, qui ne semblent servir qu'à lapiniser leur espèce : à croire qu'une des fonctions les plus importantes de l'Education nationale soit de s'auto-féconder sans trêve pour que pullule à perte de vue le professeur. Car telle est la prolifération interne du système qu'il n'y en a, il n'y en aura jamais assez. La plupart des Français ignorent que l'école n'est déjà plus capable d'assurer un enseignement aussi pléthorique en matières nouvelles qu'insuffisant en effectifs différenciés. Et pourtant nul ne peut dire en quel Tartare vont se perdre les dizaines de milliers de malheureux lestés de pesantes terminologies, qu'engloutissent chaque année ces tonneaux sans fond, les lettres et les sciences humaines...

Je ne fais pas le procès des professeurs. Ils sont, et beaucoup d'entre eux le savent, les premières victimes d'un système resté clos dans sa logique, qui n'est plus celle du développement social[1]. Mais *c'est à eux qu'il incombe d'ouvrir l'école,* d'y amorcer les modifications

1. Victimes aussi de l'incompréhension du public et de la dévalorisation de leur métier, intellectuelle autant que matérielle (les deux vont de pair). Pourquoi payer si mal des gens auquel incombe une responsabilité aussi lourde ? L'opinion sait-elle combien gagnent un instituteur après quinze ans d'exercice, une jeune licenciée d'enseignement ?

mêmes qui mettent en cause leur fonction. Nombre d'entre eux en sont capables et le désirent, la richesse de la réflexion pédagogique actuelle le prouve. Il est indispensable que cette réflexion se poursuive et s'enhardisse, non dans les murs clos de l'Education nationale, mais avec des non-universitaires que préoccupent les formes d'éducation adaptées à notre temps. A cela, deux conditions : que l'opinion comprenne enfin que l'enseignement n'est pas la seule affaire des spécialistes, et que les enseignants acceptent des points de vue extérieurs souvent hérétiques à leurs yeux. Qu'ils lisent avec la plus grande attention, même si cette lecture les irrite, les textes de Ivan Illich intitulés *Pour en finir avec la religion de l'école* et *Comment éduquer sans école* [1] ? Sans doute jugeront-ils contestable la *déscolarisation* radicale que propose l'un des esprits les plus libres et les plus novateurs de notre temps. Mais qu'ils réfléchissent à ce fait nouveau : beaucoup de gens qui, voilà dix ans, n'auraient pu concevoir une société sans école, commencent à penser que « l'inverse de l'école » est possible, et, même s'ils ne vont pas aussi loin, que le monopole de l'éducation par l'école a fait son temps. « L'alternative à l'école, dit Illich, ce n'est pas d'utiliser les ressources publiques à quelque institution nouvelle capable de “faire apprendre” les gens, c'est plutôt de créer un nouveau style de relations éducatives entre l'homme et son environnement. » Relations directes, naissant de l'expérience et se développant par elle : le savoir étant l'approfondissement d'un rapport, et non plus un ensemble abstrait de clés et de grilles que le professeur, et lui seul, peut révéler dans l'ordre le seul juste. A cette connaissance catégorielle, que l'examen rend initiatique, se substituerait un apprentissage accumulatif et multiforme du réel.

Le postulat d'Illich, c'est que le désir d'apprendre ou de communiquer son savoir doit être libéré de ses ac-

1. *Esprit*, décembre 1970 et juin 1971.

tuelles limitations. Chacun, à tout âge, peut apprendre de ceux qui savent et partager avec qui le désire ce qu'il sait ; la société doit ouvrir à tous l'accès à toutes ses ressources éducatives, en particulier aux institutions et aux objets. Cette profonde remarque : « Non seulement les objets, mais aussi les lieux dits publics de la ville moderne, sont devenus impénétrables », rend brutalement conscient de la solitude, de l'aliénation, de la frustration plus ou moins refoulée, qui travaillent un individu ordinaire dans un univers d'objets spécialisés. Nous vivons à la merci d'objets de plus en plus nécessaires, d'institutions de plus en plus contraignantes, dont nous ignorons le fonctionnement intérieur ; d'où la sensation croissante de fatalité, de nullité, qui s'empare des hommes isolés les uns des autres par leurs spécialisations de surface au-dessus de leur très banale indifférenciation. Ainsi, contrairement aux apparences prestigieuses du progrès, se consolide « une société non inventive », dont la pétrification planétaire a commencé avec les formidables concentrations de pouvoir, de ressources financières et techniques, qu'exige (ou qui exigent ?) la réussite d'une aventure spatiale mondialement orchestrée comme une publicité à grand spectacle glorifiant le type post-industriel de société. L'automatisme du succès, avec des machines ou des hommes-robots pour protagonistes, augmente, en fait, la résistance passive de la vie quotidienne. Contre ce blocage de l'invention, qui a pour terme logique la fourmilière, c'est tout ce qui nous reste de *nature humaine* qui devrait réagir.

L'école le peut-elle ? Ce monde d'abstractions, c'est elle qui l'a porté dans son sein, fièrement, avant de devenir son humble servante, dont la tâche est aujourd'hui de s'adapter toujours plus strictement à la machinerie de ses besoins. Il n'est pas sûr qu'elle y réussisse longtemps encore. Mieux vaut, en tout cas, une adéquation libre qu'une adaptation passive : il conviendrait d'ouvrir de bonne heure les lieux de travail à l'enfant, pour qu'il y fasse, sur divers plans, l'apprentissage de ses capacités, mais aussi de la vie ouvrière. L'usine, le bureau, la coopérative, le studio de cinéma, l'atelier de restauration, la menuiserie ou le garage peuvent être, à son choix, des lieux d'éducation parallèle à la formation scolaire, et je ne vois rien d'impraticable dans la suggestion d'accorder des avantages fiscaux à ceux qui emploieraient des enfants deux heures par jour, dans des conditions réelles d'apprentissage, tout au long de la scolarité.

Rien non plus que de positif, à mesure qu'apparaîtront des communautés différenciées — indispensables, je le répète, à l'humanisation de notre société —, à « permettre à un garçon de douze ans de devenir un homme pleinement responsable de sa participation à la vie de la communauté ». Cela suppose une école ouverte, presque sans murs, fédérée avec d'autres formes éducatives. Donc un allégement considérable des programmes, réduits à l'essentiel mais enseignés avec rigueur. Cela suppose également une structure de rapports qui tienne compte de l'expérience acquise au-dehors par l'enfant et de l'enrichissement qu'elle peut apporter au microcosme social qu'est la classe ; donc un nouvel ordre de relations entre les maîtres, comme entre eux et le monde extérieur. Et l'on ne voit pas pourquoi cette formation au réel devrait cesser avec la scolarité obligatoire. Les centres socioculturels polyvalents seraient ici d'un grand secours pour assurer à ses débuts une médiation, qu'il faut prévoir difficile, entre l'école telle qu'elle fonctionne encore et ce monde dont elle isole en milieu stérile les enfants. Isolement particulièrement préjudiciable aux plus favorisés en apparence, qui, après la seizième année, vont continuer parfois dix années encore des « études » en vase clos. A ceux-là surtout, l'école et l'université doivent ouvrir coûte que coûte les portes jusqu'ici hermétiquement closes du réel.

Comment je vois, en tant que lieu d'enseignement, cette école ouverte ? Certes, elle dispense le savoir de base que seule elle peut donner. Un grand effort pédagogique est fait actuellement pour renouveler les méthodes, en particulier pour y introduire la notion de *jeu*, qui stimule l'invention. L'école, qui se méfie des psychologues, commence à comprendre, lentement et non sans réserves, qu'ils peuvent aider à transformer la classe en communauté libre ayant ses lois, et donnant le goût d'y participer. Encore faut-il que cette communauté ne protège pas, mais délivre : ce qui implique un va-et-vient qui y fasse pénétrer l'air du dehors. On en revient à la nécessité non seulement d'ouvrir l'école, mais de la placer au centre d'un ensemble éducatif plus divers dont elle soit en quelque sorte le cœur. Psychologiquement, ce ne peut être que favorable à la maturation de l'enfant, qui n'est pas l'être simplifié que désigne son prétendu « âge mental » ou son « Q.I. », ou que dépeignent ces bulletins trimestriels aux appréciations toujours identiquement vides, lesquelles ne parlent en faveur ni des élèves ni de leurs professeurs. Car l'enfant a plusieurs âges en même temps, plusieurs sensibilités, plusieurs imaginations, plusieurs mémoires : et pourtant il est *un*. Cette polyphonie que l'école, malheureusement, n'a pas été conçue pour saisir et développer dans son unité profonde, elle la change vite en monodie, et l'unique voix qui demeure n'est pas toujours celle de l'enfant... Encore un des tours de cette « raison » linéaire qui a créé les notes de 0 à 20 [1], les « bons élèves » et la manie des concours, mais qui ne s'est jamais demandé si ces cerveaux étaient aussi des âmes.

Je vois l'école comme un *cœur*, et non pas seulement comme un cerveau. Sa disposition extérieure, l'aspect des salles de classe, leur façon d'accueillir la lumière, l'animation qui y règne, devraient déjà suggérer ce rythme généreux de systole et diastole, l'expérience qui se fait idée, l'idée qui revient à l'expérience, leur réciproque

1. Même pour les maîtres, dans les rapports d'inspection générale.

renouvellement. A l'école devrait être enseigné, non ! découvert, l'amour de la vie en ce qu'il a de plus fort, de plus spontané, de plus munificent, de plus rouge. Le sens de la joie et celui de la douleur, le don et le contrôle de soi, l'hospitalité, le respect de l'autre, l'égalité dans la diversité des fortunes, l'admiration, le dépassement dans l'effort : toutes ces valeurs simples et hautes qui donnent à l'homme sa vraie mesure, quelle que soit sa condition. Un enseignement qui se refuse à l'éthique, par neutralisme ou fausse objectivité, obstrue dans les jeunes la source de l'être. Ce qu'il leur faut n'est pas un jeu de grilles servant à quadriller toute expérience possible, mais cette chaude expérience elle-même, ce cœur battant, cette parole de feu, cette vitalité inexhaustible, cet océan d'obscures images et ce lucide jaillissement de l'esprit ; cette omniprésence de l'homme dans l'homme et dans le monde que sans cesse il se crée, cet humanisme dans lequel l'enfant doit plonger, qu'il doit respirer par tous ses pores, pour que très jeune il s'y confirme dans le sentiment que la valeur de l'homme est la sienne propre, telle que l'exprime sa liberté.

A tout moment de l'aventure humaine, le cœur a sa bonne mesure de sang, l'esprit son content de risque et d'amour. Tout porte à l'émerveillement et à la reconnaissance, il suffit de lire, de voir, d'écouter, de comprendre un peu de cet éternel élan. Il est dans le combat quotidien que menait pour l'existence le paysan français du haut Moyen Age, il est dans la lutte, aujourd'hui, contre l'exploitation et la tyrannie. Il est dans la sainteté, dans l'héroïsme, dans certaines morts qui attestent la vie. Il est dans les grandes œuvres de l'art, les illuminations de la science[1], les unes et les autres élargissant la pensée. Il est dans la piété pour la nature, piété si méconnue de nos jours et qu'il faut rapporter à l'homme lui-même, solidaire de la terre par le corps et l'esprit. Cet

1. Dont la nuit du 10 novembre 1619, où Descartes eut la vision d'une « science admirable ».

élan créateur, cette mise en forme qui est ouverture croissante de l'homme-univers à son propre infini, trouve sa plus parfaite expression dans la beauté, la contemplation, le silence. Pourquoi l'école n'oserait-elle en parler ?

Mais qu'elle en parle de façon ouvrière. La place des arts est insignifiante dans l'école d'aujourd'hui. (La place du corps, ce lieu d'harmonies que tout bon moniteur multiplie, n'est guère meilleure en général.) Le seul art que l'on côtoie, c'est la littérature. Encore ne sait-on guère comment aborder sa part la plus secrète, la poésie. Il est presque impossible de faire admettre à la majorité des professeurs que la poésie est autre chose qu'une façon de dire. Qu'elle soit un mode de connaissance inséparable du langage qui projette celle-ci est à leurs yeux une prétention purement verbale : ils se refusent à voir dans le poème un acte de la pensée. Aussi distinguent-ils sempiternellement entre le fond et la forme : ils s'épuisent à chercher l'idée où n'existe en vérité que le verbe. Leur explication de la poésie est une manière d'assassinat. Quant à la « récitation » dont ils prônent les vertus, c'est la plus sûre façon d'étouffer sous le bruit toute musique, toute palpitation de cet *être* qu'est le poème : encore une notion fermée à beaucoup... On devrait supplier les professeurs de prendre parfois en considération que le poème n'est pas un objet *tout fait* servant de prétexte à des exercices, mais du réel à l'état naissant, parole en train de prendre forme dans l'âme par l'attention et pour la joie du lecteur ; et que ce *faire* est infiniment plus important que le *tout fait* pour qui veut appréhender l'acte poétique, c'est-à-dire se l'intégrer.

La même remarque s'applique à la découverte des autres arts. Je dis : découverte, et non enseignement, car il arrive que les enfants en sachent davantage là-dessus que les maîtres. Il arrive aussi, hélas ! que les maîtres s'ingénient à leur désapprendre ce qu'ils savent de nature, à dé-créer leur sens de l'art. Ainsi, tant que l'école ne sera pas ouverte aux artistes pour que les élèves puissent les questionner, les entendre parler *en artisans spirituels* de leur art, y a-t-il peu de chances, sauf exceptions, de passer du savoir plus ou moins livresque à l'expérience directe et à l'amour du métier. Or, c'est cet amour qui convainc de jeunes esprits, et que, parfois, un maître aimant les arts communique. En fait, qu'un artiste parle de son métier comme d'une pratique des choses, qu'il montre par exemple comment il vit la lumière, ou le bloc de pierre, ou le rythme verbal, ce qu'il dit n'est guère différent de l'explication ouvrière qu'un ébéniste pourrait donner de son attitude devant les résistances du bois. Qu'il passe du métier à la vocation, qu'il tente, si peu que ce soit, de faire pressentir par l'enfant la hantise qui le travaille et le maintient à l'écoute de quelque chose en lui qui n'est pas encore ; peut-être alors, en s'approchant du meilleur de soi, l'artiste éveillera-t-il chez l'enfant cet immense appétit d'être-plus qui tourmente et comble l'humanité, même chez les plus anonymes.

Utopie ? Le serait-ce, si l'Education nationale justifiait son nom ? Mais convenons-en : dans ses conditions actuelles, l'enseignement ne peut tolérer ce qui lui est si foncièrement étranger. Toutefois, l'école d'aujourd'hui n'est-elle pas depuis longtemps un vestige, la ruine d'un édifice ne correspondant plus aux besoins concrets de la société telle qu'elle évolue ? L'école-caserne, abstraitement omnisciente, uniforme et centraliste, enrégimentant, pour les couper du monde, des générations entières pour des périodes allant de dix à vingt années, est présentement, avec ses neuf cent mille agents et ses dix millions d'élèves faisant leurs classes, une vue de l'esprit bien plus gratuite — et, hélas ! plus coûteuse — qu'une école en osmose avec le milieu. Celle-ci devrait être plus légère, décentralisée, capable d'initiative locale, et par-dessus tout plus *mobile,* pouvant attirer à soi des compétences, mais également se déplacer vers leurs lieux de travail et réaliser toutes sortes d'échanges avec les autres communautés différenciées. Cette école serait, dans l'espace et le temps, le lieu et la durée nécessaires à la mise au point de tout l'acquis de l'expérience ; un laboratoire, mais aussi une maison commune, où prendre l'habitude, justement à partir du concret, de réfléchir aux formes diverses de la responsabilité sociale, de situer la condition humaine non seulement dans la perspective historique, mais face aux réalités présentes que les hommes ne sauraient esquiver sans mettre en danger l'équilibre humain.

Cette élaboration de l'humain dans l'homme ne saurait se faire dans le vide : à vouloir mettre entre parenthèses les problèmes vitaux de la cité parce qu'ils touchent à la politique, on enferme dans l'abstraction théoricienne le sens de la justice souvent si vif chez l'enfant et l'adolescent. Il est vrai que l'examen de ces problèmes, s'il se fait seulement entre maîtres et enfants, même s'il part d'une certaine expérience du travail, n'en sera guère moins abstrait qu'en théorie pure. C'est pourquoi l'école, à certains moments, doit cesser d'être réservée aux seuls jeunes pour devenir la maison de tous. La formation permanente brisera les vieux schémas d'organisation scolaire et rapprochera les générations. Elle permettra aussi de poser dans le vif de l'actualité les questions si graves de la responsabilité collective dans le modelage des formes sociales : questions précises, localisées, confirmant certains principes généraux du contrat social. Quand Ivan Illich écrit : « Beaucoup d'enfants d'âge scolaire en connaissent plus sur leurs voisins que les travailleurs sociaux ou les conseillers municipaux. Ils posent aussi, bien sûr, des questions plus embarrassantes et proposent des solutions qui menacent la bureaucratie », cette phrase doit avoir, pour certains, un arrière-goût de révolution culturelle. Elle vaut pourtant d'être au moins retenue pour examen. Il est préférable que l'enfant soit en contact direct et libre avec les adultes, plutôt que de se voir imposer jour après jour les images d'un monde « adulte » préfabriqué, maquillé en beau ou en atroce, parfois débile, pervers ou gâteux.

Ces brèves remarques ont pour but de prendre date dans la formation du nouveau concept de la culture, concept qui, si l'effort culturel est honnêtement engagé, ne peut que modifier notre idée présente de l'école. Sans transition, elles nous mènent à mon dernier point : le rôle des mass media, et d'abord à l'école ou sur les jeunes. On imagine combien la mobilité de l'école serait augmentée par les mass media, qui, par exemple, peuvent mettre l'enfant en présence, presque comme s'il était parmi eux, de tel artiste, tel savant, tel homme politique, tel grand agronome. Il suffit de livrer l'un ou l'autre aux questions d'une classe, pour que des milliers d'écoles servent de caisse de résonance à l'émission. L'utilisation de la télévision scolaire ou autre à l'école sera sans doute la première étape de l'ouverture de celle-ci et peut-être de sa « déscolarisation » progressive. Mais n'oublions pas que la télévision, qui s'est développée très vite et sans prendre la peine *d'élaborer sa déontologie,* travaille directement, quinze heures sur vingt-quatre, le psychisme de plus de la moitié des Français ; ni qu'un écolier du Lot passe un peu plus de vingt heures par semaine à l'école et trente devant la télévision. Comme la famille ne se retrouve pratiquement qu'autour d'elle, pour se taire en l'écoutant, le nom de « troisième parent » ne lui a pas été donné uniquement par boutade[1]. Dès lors, on est assez effaré de l' « expérience » qu'en retirent parfois les enfants. Quant aux adultes, même si c'est

1. Il est paradoxal, mais conforme à la réalité présente, que la famille ne puisse plus être sérieusement mentionnée, dans la majorité des cas, comme le premier milieu éducatif de l'enfant. Elle ne le redeviendrait que dans une société communautaire, où la cellule familiale s'intégrerait sans y éclater.

une vérité première, il n'est pas inutile qu'ils s'entendent rappeler par Illich, à propos de la télévision : « On peut se servir de la technologie soit pour développer l'indépendance et l'éducation, soit la bureaucratie et l'endoctrinement », et ces derniers de façon souvent subtile.

Le moment est sans doute venu, non plus, comme on l'a fait jusqu'ici, d'utiliser plus ou moins « rationnellement » les mass media à des intentions préexistantes, mais de les penser globalement en eux-mêmes, comme la projection active — et en principe constamment réactivante — d'un besoin nouveau que l'homme voit naître et fait naître en soi. Ou même d'envisager les mass media comme un englobant potentiel des activités de l'esprit devenues perceptibles par l'être entier. Pour le moment, les media sont des incubes, des forces étrangères qui investissent la psyché.. Cette puissance de *possession* augmentera très vite, particulièrement avec les vidéocassettes. Il est donc essentiel de maîtriser ces forces, de les exorciser sur le plan psychique en les intégrant à celui de l'esprit. Toute réflexion culturelle d'ensemble doit se préoccupe en premier lieu des mass media, littéralement pour les libérer des démons qui empruntent leur forme, et dont le nom est *Légion*.

Plutôt que de répéter plus ou moins mal ce que d'autres ont dit tant de fois, exhaustivement mais sans grand succès, sur le fonctionnement actuel et la tâche possible de l'O.R.T.F., je voudrais plus généralement insister sur la nature spirituelle des mass media, et montrer qu'ils sont, au moins en puissance, des prolongements de l'esprit humain. Marshall Mac Luhan l'a prouvé d'une manière si convaincante et si profonde dans ses implications, que je me contenterai de résumer et de commenter brièvement ses idées, tout aussi roboratives et sans doute aussi « dérangeantes » que celles d'Ivan Illich. L'énergie quasi obsédante de cette pensée est l'un des meilleurs antidotes offerts depuis vingt-cinq ans à la mélancolie chronique de l'intelligentsia. Antidote d'autant plus efficace que l'auteur — ce n'est pas un de ses moindres charmes — n'épargne rien pour faire grincer bien des dents intellectuelles. C'est ainsi qu'il écrit, avec une suffisence jouée, en parlant de son livre *Pour comprendre les media*[1]*:* « Le désarroi de l'éditeur de ce livre montre bien le peu d'attention que l'on a jusqu'ici consacré à ces questions. Il me faisait remarquer avec consternation que mon livre était neuf aux trois quarts, alors qu'un ouvrage ne devrait jamais contenir plus de dix pour cent de matériaux nouveaux, sous peine de courir à l'échec. »

Pour nous frayer une piste dans cette jungle d'idées, lisons d'abord *Message et Massage*[2], illustré par Quentin Fiore, un des maîtres de l'art graphique américain. Ce livre est un *objet* qu'on ne lit bien qu'en le maniant, c'est-à-dire en introduisant une dimension tactile dans l'espace jusque-là visuel de la lecture. C'est que, selon Mac Luhan, l'homme est en passe de changer entièrement de système de référence et d'habitudes. La rupture se fait non seulement au niveau des moyens de communication et d'information, mais dans la profondeur psychique elle-même, dans ce lieu des correspondances et de l'unité de tous nos sens, qu'il nomme le *sensorium.* Alors que nous étions accoutumés par la perception visuelle à distinguer entre contenant et contenu, entre moyen (médium) et message, l'auteur nous invite à comprendre que le message est le médium lui-même. Celui-ci n'est donc pas un moyen extérieur, mais un mode indivisible de la pensée qu'il produit. Les media sont comme nos membres ; notre corps, notre être plutôt, est tout entier en eux, bien qu'il les englobe et puisse les exercer, les dominer, spécialiser tel d'entre eux par-dessus les autres, développant ainsi des automatismes dont l'efficacité am-

1. Mame/Seuil, édit.
2. Pauvert, édit.

biguë favorise la servitude autant que la liberté. Cette technique incorporée inconsciemment à tout l'être est un *massage,* mot qu'il faut entendre dans les deux sens du mot *masser :* une disposition habitudinaire, une disposition de masse.

Le mot *massage* nous alerte sur un danger : la fascination narcissique de l'homme par ses media. L'exploitation faite ici du mythe de Narcisse, pour expliquer la distance que l'homme met d'instinct entre soi et ses inventions les plus redoutablement fécondes, est non seulement une parfaite analyse de situation, mais un renouvellement du mythe lui-même. Quand Mac Luhan nous parle des media comme de prolongements du corps, il entend bien que ceux-ci ne sont pas des outils, mais font partie intégrante de l'homme, lequel est modifié par eux comme il peut l'être, et même plus qu'il ne peut l'être, par l'usage de l'œil ou de la main. Cela veut dire en particulier qu'une fois un médium devenu indispensable, passé à l'état de *membre* collectif, l'homme ne saurait s'en débarrasser sans une auto-amputation qui peut être mortelle.

D'où l'ambivalence angoissée de l'homme contemporain à l'égard de ses prolongements nouveaux. Pour se cacher qu'ils font partie de lui-même, et qu'il doit les éduquer comme son corps et ses sens, il prétend ne voir en eux que des instruments dont « on » se sert mal et dont « on » le rend esclave. Mac Luhan nous propose une attitude opposée : d'intérioriser consciemment nos media, non point pour en être absorbés, mais pour en faire l'analyse en profondeur, au niveau « mythique » où leur massage nous hypnotise et bloque notre pouvoir de contrôle sur eux. Apprendre — et éduquer — les media, c'est se rendre conscient de leur action psychique individuelle et de masse, pour la maîtriser, peut-être la sublimer, à la façon dont une tendance névrotique peut l'être. « Pendant ces siècles (de l'imprimerie), qu'est-ce qui empêchait les hommes de comprendre ce qu'ils se faisaient à eux-mêmes par la quantification et la segmentation visuelle ? »

Malheureusement, nous ne commençons à comprendre le psychisme inhérent à un médium que lorsqu'un autre est en train de lui ravir son règne. Ainsi aujourd'hui, où la technologie électrique prend le pas sur celle de l'imprimerie. Le développement de l'imprimé a entièrement réorganisé le monde occidental selon la modalité de perception propre à l'œil, en hypertrophiant le sens de la vue, et par là même en refoulant les autres sens. *La Galaxie Gutenberg,* c'est cette partie de l'histoire humaine que, du dedans, nous avons crue définitive, parce que nous la formons et qu'elle nous informe : univers de la fragmentation, de la spécialisation, de l'objectivation considérée comme loi suprême de la pensée. Or, à son apogée, voici que cette civilisation d'ensemble se révèle fragile et menacée par un progrès qui, lui, est discontinu. Pour le marquer, Mac Luhan situe *Message et Massage* entre deux phrases de Whitehead : « Les progrès majeurs de la civilisation sont des processus qui, presque à coup sûr, détruisent les sociétés au sein desquelles ils se produisent », et : « C'est le rôle du futur que d'être dangereux. »

Il y a rupture entre la technologie de l'imprimerie, prolongement de la seule vue, et la technologie électrique, prolongement du système nerveux central. L'imprimerie avait fait de l'homme un schizophrène en puissance et consacré le divorce entre l'esprit et le cœur. En spécialisant l'homme, elle l'avait détaché, mais divisé. La nouvelle technologie électrique, selon Mac Luhan, restructure l'espace et le temps et change l'homme-univers en un champ global auquel tous les hommes participent, immergés « dans les profondeurs de l'intérêt et du sentiment humains ». Cette épreuve redoutable, puisque à l'âge de l'électricité « c'est toute l'humanité que nous portons comme peau », impose l'unification, l'engagement simultané de tous les sens et leur corrélation, leur *co-répondance. Pour comprendre les media* (avec sa distinction entre media froids et chauds, et entre les types de participation, on pourrait dire les milieux psychiques, qui leur correspondent) est à ma connaissance le premier exemple de psychologie comparée des media et des formes que prend l'humanité qu'ils structurent. Ce livre appelle une grammaire et une syntaxe des media en tant que modes d'appréhension et d'expression de la totalité humaine, en tant que langages spécifiques au même titre que la musique, la peinture, la poésie.

Aucun artiste ne restera indifférent à la lecture de Mac Luhan, le seul penseur « socio-anthropologique » qui ait pleinement compris l'importance capitale de l'art, non seulement comme prophétie des formes qui s'ébauchent dans l'homme, mais comme fonction de salut dominant les changements trop brutaux dans l'équilibre sensoriel et psychique. Constructeur d' « arches de Noé », homme de la lucidité intégrante, l'artiste capte les plus lointains mouvements d'un séisme que nul encore ne prévoit. Dans la période englobante et mythique où nous entrons, l'œil trop souvent fixé sur le rétroviseur, « j'aimerais savoir, dit Mac Luhan, ce qui se produirait si l'on se mettait tout à coup à tenir l'art pour ce qu'il est réellement, c'est-à-dire une indication précise sur la façon dont il faut remanier ses facultés pour se préparer au prochain coup de leurs prolongements». Il y a fort à parier que la partie la plus triomphante de la pensée contemporaine apparaîtrait caduque.

Impossible de dégager ici plus de quelques lignes de force d'une œuvre où foisonnent les intuitions de génie. Sur certains plans, Mac Luhan instruit davantage que dix années de lectures : il a confirmé des images babéliennes qui me hantent depuis trente ans. L'analyse du médium qu'est la radio en partant de la voix de Hitler est saisissante pour qui entend encore cette voix élevée par la radio jusqu'au mythe. Cet exemple de tribalisation par et dans les media n'en est qu'un parmi bien d'autres qui se déroulent ou se préparent : Mac Luhan est fort loin d'être insensible à leurs aspects menaçants. Il est tout aussi conscient des conséquences, spécialement pour la jeunesse, de l'inadéquation entre un type anachronique de transmission du savoir qui appartient à l'âge de l'imprimerie, et un environnement créé par la technologie électrique. (Le conflit n'est pas de méthode, il se situe entre deux formes de l'homme, l'une qui s'achève et l'autre qui s'ébauche : formes qui pour le moment s'excluent.) Mais ce professeur — il enseigne à Fordham, université catholique new-yorkaise — n'est pas une Cassandre gémissant sur la mauvaise utilisation des moyens. Explicitement ou en filigrane de toute sa pensée, il nous dit que de tels moyens sont *de l'homme.* Ils sont ce qu'est l'homme en eux, et la tâche spirituelle de l'homme est de se connaître en eux comme de les connaître en lui.

« Il n'existe absolument aucune inévitabilité tant qu'il y a volonté d'observer ce qui se passe. » L'observer, c'est y être engagé personnellement, de manière créatrice, libre de cette psychose de l'aliénation qui, de proche en proche, blasphème la vie à sa source même, et aussi l'esprit, cet « aliéné » originel. Communier avec le destin global de l'homme n'est pas se noyer dans la fatalité spécifique. On aimerait parfois que Mac Luhan le fît davantage sentir. Son analyse appellerait une politique, une conception spirituelle de la planète comme « village global », de la cité humaine dominant ses media, c'est-à-dire se maîtrisant elle-même. Mais sans doute cette maîtrise de l'homme sur soi est d'essence mystérieuse. Raison de plus pour souhaiter que dans cette histoire ou dynamique de l'esprit humain *prisonnier et libre* de ses media, soient évoquées la ruse de la raison historique et la tragédie de la personne.

Aucune connaissance globale de l'homme n'est possible au seul niveau de l'anthropologie et de la sociologie, qui ignorent volontairement certains vocables : liberté, mal, amour. Il ne me semble pas avoir jamais lu ce dernier sous la plume de Mac Luhan. Quant au mal, il en élude l'essence pour ne retenir de son concept que son aspect actuel de phénomène de masse : « La nouvelle idée que les gens se font de la faute n'est pas qu'elle est quelque chose qu'on peut attribuer à un individu en particulier, mais qu'elle est plutôt partagée par chacun, de façon mystérieuse. » Il est vrai que cette même phrase, illustration du « néo-tribalisme » que l'auteur voit poindre avec la technologie électrique, peut être lue dans un contexte tout autre, comme il en va fréquemment chez Mac Luhan. Une métaphysique de la responsabilité créatrice est implicite dans sa pensée, malgré l'absence presque totale des mots qui pourraient en être la clé de voûte. Et en quoi il se situe aux antipodes du conformisme intellectuel prévalant, on le devine dans cette belle définition de la parole humaine totale, tirée de *Pour comprendre les media :* « L'homme est une forme d'expression dont on a de tout temps attendu qu'elle se répète et qu'elle réverbère comme un écho la louange de son Créateur. “Prier, disait George Herbert, c'est retourner le tonnerre.” L'homme a la capacité de réverbérer, par la traduction verbale, le tonnerre divin. »

Parti du rapport de la commission des Affaires culturelles, pour s'ouvrir enfin, plutôt qu'il ne se conclut, sur une « utopie » de la culture comme levain du changement social, ce livre pourrait, au seuil d'une perspective nouvelle, ériger sur deux rangs, face à face, les conceptions antinomiques entre lesquelles l'homme doit choisir. Entre bureaucratie et participation, totalitarisme et communauté, technocratie et créativité, propagande et information, cloisonnement et osmose, pullulation et solidarité, indifférence et responsabilité..., la liste peut s'allonger encore. Il me semble plus opportun de prendre congé du lecteur qui a bien voulu me suivre, en rappelant la modestie de mon propos — modestie qui n'exclut pas le recours à la vision. Le projet culturel n'est pas affaire de grands hommes : car alors il devient totalitaire, il est ce que les grands hommes jugent bon qu'il soit. La culture ainsi conçue n'est, au fond, qu'une morale paternaliste : morale des chefs-d'œuvre, morale des grandes idéologies. Ce n'est pas que je méprise les idéologies ni les chefs-d'œuvre : je crois seulement que leur vérité doit non pas nous être octroyée, mais être découverte par nous. La culture est à mes yeux l'anonyme effort de découverte de l'homme par l'homme ; et cette autre tâche qui lui est presque identique, tribale et magique à l'aube des âges, puis de plus en plus solidaire et consciente, la création de son habitat, plus encore : de son univers. Espace physique, psychique, spirituel, incommensurable à nos apparentes frontières. La réalité humaine en travail sur soi ne vit que de défier sa finitude : sur ce point, l'humble méditation d'un berger va peut-être aussi loin que la *Messe en si.*

On me dira : « Votre berger est un mythe. Parlez-nous plutôt d'un ouvrier à la chaîne. » Eh bien ! j'ai la faiblesse de croire que cet ouvrier sait à sa manière que l'homme est grand, que ce devrait être une chose sainte d'être homme, et que la lutte ouvrière pour un travail plus humain par exemple est un effort vers cette sainteté. Sans être manichéen, je me demande si la vraie solidarité des nantis, de ceux qui ne veulent pas que ça change, ne les rend pas tous complices, consciemment ou par contagion, de la médiocratisation apparente des hommes. Quand le pouvoir les veut médiocres, eux et leurs fins, il a les moyens de les rendre tels. Et le pouvoir n'est pas — s'il y est — qu'à l'Elysée ou Matignon : il est ailleurs, dans l'alliance de fait de technocraties aux intérêts prétendument contradictoires, qui se disputent, et en réalité se partagent, le contrôle des masses sur les plans politique, économique, syndical, dans l'opinion et dans la publicité. Le projet culturel — David contre

Goliath — a pour but de briser cette arrogance, d'arracher les masses à la médiocrité mentale qui les met à la merci du pouvoir ; en particulier, à toutes les oppositions factices qui dressent les hommes les uns contre les autres pour complaire à sa stratégie.

Aussi ne pensé-je pas, tout compte fait, que « L'imagination au pouvoir » soit un bon titre pour ce dernier chapitre. « L'imagination et le Royaume », voilà le titre qui convient. Le Royaume est le contraire du pouvoir : c'est le respect de la singularité personnelle et de la diversité des états dans l'unité d'un ensemble social où, sur plusieurs plans et en perspective, se lient et s'étagent des communautés. Dans le Royaume, chacun, s'il est à sa place, est roi : chacun embrasse des yeux un aspect de la perspective d'ensemble. Ceci n'est possible que par la solidarité. Etrangement, l'image sur laquelle se ferme — ou s'ouvre — ce livre est celle même qui clôt *le Hasard et la Nécessité*[1]. Même tronquée de sa dimension transcendante, elle reste une image chrétienne : Jacques Monod en conviendrait-il ? Je ne dirai pas : peu m'importe. Mais ce symbole doit être d'une extrême prégnance pour que nous le choisissions tous les deux, quelle que soit la différence de nos convictions ou de ce que nous croyons en connaître, pour le symbole de notre idéal commun d'une humanité façonnée par des frères. Pour inscrire cet idéal dans les faits, un peu de folie n'est peut-être pas inutile : elle réamorce ces pompes rouillées que sont devenus l'imagination et le cœur.

Paris, le 15 juillet 1971.
Le Mas des Fidèles, le 10 août 1971.

1. Jacques Monod, *Le Hasard et la Nécessité,* éd. du Seuil.

ANNEXES

ANNEXE I

COMMISSION DES AFFAIRES CULTURELLES
VIe PLAN

LISTE DES MEMBRES DE LA COMMISSION PUBLIÉE AU JOURNAL OFFICIEL DU 16 NOVEMBRE 1969

Président : M. Pierre Emmanuel, de l'Académie française.

Vice-Président : M. Jean Sérignan, directeur de l'administration générale au ministère d'Etat chargé des Affaires culturelles.

Rapporteur général : M. Paul Teitgen, maître des requêtes au Conseil d'Etat.

Rapporteur général adjoint : M. Augustin Girard, chef du service des études et recherches au ministère d'Etat chargé des Affaires culturelles.

Rapporteur général adjointe : Mme Marie-Aimée Latournerie, auditeur au Conseil d'Etat.

Rapporteur chargé des liaisons : M René Pucheu, chargé de mission au Commissariat général du Plan.

Membres :

M. Gérard Ambroselli, artiste-peintre.
M. Gérald Antoine, recteur de l'académie d'Orléans.
M. Serge Antoine, conseiller référendaire à la Cour des comptes.
M. Perre Baraillé, maire de Mazamet.
M. Guy Baudrillard, vice-président de l'Institut national de formation et d'application pour animateurs de collectivités.
M. Eugène Bérest, adjoint au maire de Brest.
M. Guy Braibant, maître des requêtes au Conseil d'Etat.
M. André Chamson, de l'Académie française, directeur des Archives de France.
M. Jacques Charpentreau, professeur.
M. Jean Chatelain, directeur des musées de France.
M. Michel Chevalier, recteur de l'académie de Rouen.
M. Jacques Dacqmine, artiste dramatique.

M. Jean Danet, directeur de la compagnie des Tréteaux de France.
M. Jean-Pierre Dannaud, conseiller général du Lot.
M. François Dausset, secrétaire général de la Fédération d'associations et ciné-clubs.
M. Michel Denieul, directeur de l'architecture au ministère d'Etat chargé des Affaires culturelles.
M. Etienne Dennery, directeur des bibliothèques de France au ministère de l'Education nationale.
M. Jean-Marie Domenach, directeur de la revue *Esprit*.
M. Hubert Dubedout, maire de Grenoble.
M. Jean Dubois, secrétaire de l'Union régionale de la région parisienne de la Confédération générale du travail (C.G.T.).
M. Joffre Dumazedier, maître de recherche au C.N.R.S.
M. Paul-Marie Duval, professeur au Collège de France.
M. Jean-Charles Edeline, président de la Fédération nationale des cinémas français.
M. Robert Escarpit, professeur à la Faculté des lettres de Bordeaux.
M. Sylvain Floirat, président d'Europe nº 1.
M. Pierre Frédet, chargé de mission à la Délégation à l'aménagement du territoire et à l'action régionale.
M. Hubert Gignoux, directeur du Centre dramatique de l'Est.
M. l'abbé Jules Gritti, sociologue au Centre d'études des communications de masse.
M. René Huyghe, de l'Académie française, professeur au Collège de France.
M. Olivier Jannin, administrateur civil à la Direction du budget au ministère de l'Economie et des Finances.
Mme Marguerite Jégu, représentant la Confédération française des travailleurs chrétiens (C.F.T.C.).
M. Bertrand Labrusse, conseiller référendaire à la Cour des comptes.
M. Jacques Lagarde, représentant la Confédération générale des cadres (C.G.C.).
M. La Mache, président du Conseil de Paris de l'ordre des architectes.
M. Albert Lamorisse, réalisateur de films, directeur de société.
M. Pierre Laurent, conseiller d'Etat, directeur général des relations culturelles, scientifiques et techniques au ministère des Affaires étrangères.
M. Raymond Lebescond, représentant la Confédération française démocratique du travail (C.F.D.T.).
Mme Denise Legrand, membre du bureau du Centre national des jeunes agriculteurs.

M. Aimé Maeght, éditeur, directeur de galerie.
M. Jean Maheu, directeur de la jeunesse et des activités socio-éducatives au secrétariat d'État auprès du Premier ministre chargé de la jeunesse, des sports et loisirs.
M. Bertrand Monnet, président de la Compagnie des architectes en chef des monuments historiques.
M. Michel Philippot, compositeur de musique, chef du service des émissions musicales à l'O.R.T.F.
M. Jacques Ralite, adjoint au maire d'Aubervilliers, vice-président de la Fédération des centres culturels communaux.
M. Gérard Rivière, représentant la Confédération générale du travail-Force ouvrière (C.G.T.-F.O.).
M. Raoul Rocoffort, délégué général de l'Union des industries métallurgiques électriques et connexes de l'Isère, représentant le Conseil national du patronat française (C.N.P.F.).
M. Philippe Saint-Marc, directeur des spectacles, de la musique et des lettres au ministère des Affaires culturelles.
M. Pierre Schaeffer, écrivain, compositeur de musique, chef du Service de recherche à l'O.R.T.F.
M. Bertrand Schwartz, directeur de l'Institut national pour la formation des adultes.
M. Robert Secrétain, maire d'Orléans.
M. Henri Théry, secrétaire général de Culture et promotion.
M. Gérard Thurnauer, architecte.
M. Philippe Viannay, directeur du Centre de formation des journalistes.

Membres suppléants :

M. Irupe Archangioli, responsable culturel de la Confédération générale du travail.
M. François-Régis Bastide, représentant la Confédération française démocratique du travail (C.F.D.T.).
Mlle Chéreau, représentant la C.F.T.C.
M. René Dumont, représentant la Confédération générale du travail-Force ouvrière (C.G.T.-F.O.).
M. Gilles Schaaf, représentant le C.N.P.F.
M. Maurice Tissot, représentant la Confédération générale des Cadres (C.G.C.).

Participent en tant que de besoin à la demande du président aux travaux de la Commission :

Le préfet de la région de Paris, délégué général au district.
Le chef du service des enseignements de l'architecture et des arts plastiques, le chef du service de la musique, de l'art lyrique et de la danse, le chef du service de la création artistique, le chef du service des maisons de la culture.

Le secrétaire général de l'inventaire général des monuments et des richesses artistiques de la France au ministère d'Etat chargé des Affaires culturelles.
Le directeur du Centre national de la cinématographie française.
Le chef du service des échanges culturels et scientifiques au ministère des Affaires étrangères.
Le chef du service des fouilles.
Le directeur général des collectivités locales au ministère de l'Intérieur.
Le directeur de l'aménagement foncier et de l'urbanisme au ministère de l'Equipement.
Le commissaire au tourisme.
Le directeur de l'enseignement et des affaires professionnelles et sociales au ministère de l'Agriculture.
Le rapporteur général du comité de planification, le directeur de la radio, le directeur de la télévision à l'O.R.T.F., ou leur représentant.

ANNEXE II

QUELQUES REMARQUES SUR LA POLITIQUE DE LA CULTURE A L'OCCASION DU VIe PLAN

I. L'ÉTAT, UN MONSTRE FROID ?

1° *Limites de la société de profit*

Le gouvernement invite les Français à construire avec lui une société nouvelle. Pourquoi nouvelle ? Parce que le sentiment s'accroît de l'inadéquation de l'actuelle société à l'aspiration véritable des hommes. Notre société telle qu'elle est, et telle qu'elle risque de plus en plus de devenir, justifie de moins en moins à leurs yeux l'effort et la peine qu'elle leur impose ; mais elle les accapare, les frustre de leur être à des fins qui ne sont pas les leurs.

Une société dominée par le seul marché n'a de critère de valeur que le profit. Les hommes sont pour elle les instruments d'une entreprise économique : elle les utilise donc, et ils ne valent dans son système que le temps de leur utilité et celui qui les y prépare. Comme c'est elle qui détermine l'utilisation des hommes et la formation que requiert celle-ci, elle ne tient compte, dans ses prévisions, que des projections de sa propre tendance, et elle se trompe souvent sur l'avenir au nom des prétendues nécessités du présent. Elle oublie, en particulier, les facteurs psychologiques et spirituels les plus profonds qui échappent à l'observation immédiate. Elle oublie aussi les modifications que sa pression même fait subir aux hommes et la réaction qui se prépare sourdement en eux. Par exemple, quand une société (comme c'est le cas de la nôtre) a subi des chocs historiques qui lui rendent la compétition de plus en plus difficile, le rythme que lui impose la croissance indispensable pour ne pas déchoir en deçà d'un certain seuil de puissance pourra vite lui devenir intolérable, si un esprit commun ne lui permet de soutenir ce rythme et de régénérer ses forces dans l'idée qu'elle se fait de soi.

2° *Bureaucratie et groupes d'intérêts*

Etant donné la complexité des plans d'ensemble dans un Etat centralisé, son administration *semble* exiger un personnel de plus en plus nombreux et des spécialisations de plus en plus strictes. Ainsi se constitue ce qui devrait être un réseau d'informations, un système nerveux de la société, mais qui devient exactement le contraire, un appareil bureaucratique vivant en parasite du projet social qu'il est chargé de mettre en œuvre et de contrôler. Paradoxalement, la bureaucratie, victime de la division du travail qui l'articule en système, produit surtout et administre sa propre inertie, freinant les actions qu'elle a pour tâche de mener à terme.

Aiguillonnés par des rythmes qui s'accélèrent, paralysés par des contraintes qui se compliquent, tous ceux dont l'activité à tous les niveaux est de produire sont écartelés dans leur être même. La bureaucratie cause au corps social une fatigue décourageante qui, après avoir aboli tout esprit d'initiative, développe la résignation et la veulerie.

A côté de la bureaucratie et contre elle se manifestent d'autres systèmes de freinage : les divers groupes d'intérêts. Légitimes dans la défense contre les décisions unilatérales portant sur les grands choix économiques et sociaux, leurs actes le sont moins quand ils s'inscrivent contre l'intérêt commun par simple égoïsme corporatif. Etatisation et centralisation augmentent d'ailleurs la possibilité de bloquer tout changement dès qu'il s'amorce. L'Etat, qui prétend tout réglementer, devient le bouc émissaire de toutes les insatisfactions, de toutes les impatiences. L'apparence de la vie sociale est celle d'une lutte incessante où la revendication prend souvent forme de chantage, comme si, à eux seuls, bureaucrates et maîtres-chanteurs faisaient la loi. La concertation elle-même peut devenir un instrument de cette surenchère où personne ne joue franc jeu. Certes, il existe un équilibre minimum que nul ne songe à mettre en cause : mais sa faiblesse est d'être minimum, de ne permettre aucun jeu créateur. L'Etat, garant obligé de cet équilibre, n'est en aucun cas le symbole de la solidarité créatrice des Français. Son destin difficile, dans lequel il s'enferme d'ailleurs lui-même, est de leur apparaître à la fois comme leur providence et comme leur ennemi numéro un.

II. LE PROJET CULTUREL

1° *Le fantasme d'évasion*

Quand une société n'a pour projet global que son propre dynamisme économique, garanti par un système industriel auquel la majorité de ses membres rêve d'échapper parce qu'ils ne peuvent y participer, mais souvent aussi parce qu'ils le refusent, cette société s'enraye constamment et progressivement se bloque : ce sera, si l'on n'y prend garde, le cas de la société française sous nos yeux. Le projet économique n'est pas suffisant à lui seul pour stimuler les énergies. Le rêve général, par lequel on croit se dérober au système, est celui d'une abondance moyenne, correspondant à un rétrécissement de l'éventail des revenus, à un égalitarisme que l'on confond avec la justice. Rien ne prouve qu'un tel rêve soit réalisable et puisse durer sans le maintien de la pression économique, à laquelle veulent se soustraire ceux qui le font. L'auto du week-end, les vacances, la télévision et autres biens incontestables ne sauraient être indéfiniment garantis par une société qui prétendrait marcher toute seule, indépendamment de l'adhésion active de ceux qui la constituent.

La menace au cœur des sociétés modernes, c'est le fantasme d'évasion qui travaille de plus en plus leurs membres, à mesure qu'ils jouissent davantage des biens qu'elles produisent. Certains de ces biens sont des plus désirables, en ce qu'ils allègent la monotonie et la peine et libèrent le temps, rendant les hommes disponibles, leur donnant, s'ils en sont capables, prise sur leur vie. D'autres biens, par leur importance même et le changement qu'ils introduisent dans l'existence, peuvent poser les problèmes nouveaux à la société tout entière : tels l'auto, l'avion, la télévision, tous facteurs de mobilité croissante, mais qui, par une compensation étrange, développent des effets d'inertie, entre autres d'ordre spirituel. Il est enfin des biens purement factices, encombrants, satisfaisant de faux besoins créés par une publicité saturante.

Cette multiplicité effrénée de faux biens qui n'ont aucun sens pour celui qui s'en encombre est une cause d'épuisement nerveux sur un fond permanent de tension. Esclaves de leurs biens, même les meilleurs, et détournés par l'émulation publicitaire de s'en servir avec discernement et sobriété, les hommes, de plus en plus, cherchent à fuir cela même qu'ils désirent : d'où les névroses personnelles et les psychoses collectives dont souffre notre temps. Fatigue, aboulie, besoin croissant d'échapper à la machinerie du développement, aux conurbations démesurées, au gigantisme bureaucratique, donnent naissance au néo-rousseauisme chez certains, à un romantisme révolutionnariste chez d'autres, chez tous au rêve panique d'un ailleurs. Ici, des groupuscules marginaux, mais dont la contagion s'exerce sur le grand nombre, trouvent leur sens dans une activité communautaire aux formes naïves ou perverses, ou les deux. Dans ces micro-sociétés marginales, des rapports personnels s'établissent qui peuvent aller du don réciproque à la fascination exercée par un seul. Là, au contraire, la fuite en avant prend la forme non de l'espoir révolutionnaire, mais de l'appétit de destruction radicale, pour faire table rase et changer moins les conditions de vie que la vie.

2° *Le glissement vers l'informe*

En France, ce qu'on appelle pudiquement les événements de Mai et qui fut, entre autres choses, un immense délire collectif chauffé à blanc par une atmosphère obsidionale, a révélé la présence d'un inconscient social profondément refoulé, devenu soudain explosif. Dégrisée depuis, la société française vit dans la hantise d'elle-même et de ses redoutables pouvoirs. Elle pratique des exorcismes répressifs, insuffisants et peut-être dangereux, dans la mesure où ils l'enfoncent davantage dans son *mutisme* retrouvé. Ce mutisme de notre société sur elle-même trahit son incapacité de se mesurer, de s'accepter en vue de se donner forme. Cela tient en grande partie à l'état général des sociétés développées, mais aussi aux circonstances historiques particulières à notre pays. Celui-ci, de son rang de puissance mondiale, est passé en trente années à l'état de nation moyenne, par une série d'étapes réductrices qui ont mobilisé pour les transitions de ce déclin la foi et l'héroïsme des meilleurs. La défaite, la résistance, la libération, la décolonisation, la difficulté et la nécessité de n'être qu'un « hexagone », tels sont les moments d'un changement historique dont nous ne pouvons encore mesurer tous les effets.

Le régime instauré par le général de Gaulle était fondé sur une passion de la justice : pendant la guerre d'Algérie, la France vécut en état de tension et se sentit être ce dont elle a besoin pour exister fortement. Après la fin du conflit algérien, le régime s'efforça de maintenir mobilisées les énergies, de les rallier pour créer une société qu'il voulait exemplaire. Il entreprit un grand effort institutionnel ; il lança l'idée de la participation, de la régionalisation. La réponse des Français, si elle ne fut pas en majorité négative, fut positive sans enthousiasme. Cela signifie qu'ils laissent à l'Etat le soin de sa propre organisation, parce que le sens profond de celle-ci leur échappe. Ils n'en *possèdent* pas l'idée : elle ne les exprime pas. Un peuple peut-il se passer longtemps d'expression collective ? Je ne le crois pas. Une société n'est pas un schéma d'organisation, fût-il le meilleur du monde : c'est une forme qui manifeste et développe (à moins qu'il ne s'y étiole avec elle) un projet humain collectif, une *culture.* Qui dit culture dit mémoire créatrice : l'acquis est vivant et suscite le nouveau. Une société inculte cesse d'être une forme : c'est une mêlée de forces anarchiques ; pour survivre à ses contradictions, il lui faut se créer, se donner des valeurs. Ces valeurs naissent de la solidarité créatrice des hommes qu'un sentiment d'appartenance lie au destin de la société, laquelle est peuple, histoire, langue, projet.

Sans pensée qui la maintienne et l'informe, une société se cancérise ou dépérit. Laissés en friche, les hommes s'y appauvrissent, s'y avilissent. Les sociétés modernes tendent à faire de leur absence de philosophie leur véritable philosophie : leur « idéal », car c'en est un, est le laisser-faire par rapport aux instincts, la licence. Elles portent alors le nom de *sociétés permissives,* sociétés où tout est permis. Mais cette permission n'est qu'une permission, et non une liberté gagnée par l'homme ; sous une forme négative, inversée, la contrainte est toujours présente, la licence accordée peut être retirée. Il y a lieu de se demander si cette licence n'est pas en fait une forme de contrainte qui s'exercerait ailleurs, ne « libérant » les mœurs que pour détourner les hommes de l'exercice de la liberté politique. La généralisation de la pornographie, le pansexualisme faussement libertaire, peuvent être des paravents très efficaces de l'oppression sociale : ce sont d'ailleurs des entreprises industrielles qui ne prospèrent que par le viol permanent et systématique de la sensibilité humaine et par l'accroissement de sa passivité. La pornographie organisée n'est qu'un aspect de l'organisation sociale de la solitude, laquelle peut résulter aussi bien de l'urbanisation sauvage que de l'abrutissement dû aux mass media. Ne s'intéressant aux hommes qu'en tant qu'ils produisent et consomment, les managers de la vie sociale n'ont que faire de favoriser leur réunion pour des activités de communauté. Le bien-être est une pure notion économique n'impliquant aucune idée d'être plus, et pouvant même aller contre elle.

3° *Aspiration à un projet culturel global*

Une société indifférente à l'ordre réel de ses fins devient une société d'indifférents que ne lie aucun civisme. En chacun de ses membres, l'être social est soumis à une fatalité provisoire, qu'un éclatement peut toujours briser, et l'être intime à un malaise permanent, à une désaffectation qui le rend passif et instable. Le paradoxe est que cette véritable maladie du sens du réel apparaît dans les sociétés hautement évoluées, riches d'un capital croissant de connaissances et qui possèdent des moyens d'information donnant à tous, du moins en principe, de participer à ce capital. En fait, l'information moderne suscite dans les esprits un désir d'universalité que la société ne satisfait pas et ne songe même pas à commencer de satisfaire. Ce désir d'universalité est pourtant le germe de la conscience que la société devrait avoir d'elle-même, c'est-à-dire de son projet. Ce projet ne devrait pas être une abstraction, mais la somme, l'intégrale consciemment perçue, des efforts de tous ses coopérateurs qui en éprouvent une satisfaction créatrice, le sentiment de leur dignité. Ce besoin est fondamental dans toute activité libre. Selon les paroles de Nietzsche : « Le plaisir de modeler et de changer — jouissance primitive ! Nous ne *comprenons* qu'un monde que nous avons nous-mêmes pétri. »

Une société en développement réel est une société qui se cultive : elle prend ainsi conscience de sa forme, de ses puissances latentes, de la pluralité et de l'unité de leurs manifestations possibles. Ou, si l'on préfère, les hommes qui font partie de cette société prennent conscience, chacun et ensemble, de leur solidarité sur le plan de l'esprit ; ils épanouissent à l'âge adulte cette disposition à modeler le monde pour prendre possession de lui, manifeste dès le jeune âge et qu'il convient de cultiver. Au degré de développement que la société moderne atteint, il serait aberrant de faire du champ culturel un quelconque lieu de défoulement marginal où se libéreraient les instincts anarchiques de la masse. L'idée d'une culture « gauchiste » fixée en des ghettos privilégiés peut sembler séduisante à ceux qui croient que le révolutionnarisme verbal s'y amortit, mais rien n'est moins sûr et, de plus, l'entreprise semble peu conforme à l'aspiration montante de la société, qu'il faut aider celle-ci à mesurer. La société aura de plus en plus besoin de centres d'initiatives pluriformes, de relais qui les joignent entre eux : d'un réseau de culture en somme, ce dernier manifestant la liaison étroite entre l'effort de chacun vers la culture et la forme de culture souhaitable par tous.

L'aspiration à l'autonomie, à la responsabilité créatrice (noms synonymes), est la condition qui, si chacun la défend en soi et autour de soi, peut empêcher, s'il en est encore temps, la formation de ces monstres étatiques que sont les grandes sociétés de masse. Il va de soi que cette aspiration, pour s'épanouir en actes sociaux, suppose ou entraîne une transformation de la structure étatique en appareil communautaire et non plus centralisé.

4° *L'Etat, principe de coordination dans la liberté*

L'Etat, qui est au service de la société pour en favoriser le développement harmonieux, ne peut définir ni les critères du goût ni le contenu de la culture : il ne peut pas davantage se passer d'une politique culturelle, puisque celle-ci conditionne le meilleur développement social. Dans l'ordre des fins, cette politique devrait viser à l'accroissement des virtualités créatrices, tant chez les individus (et cela dès l'école) que dans la collectivité. Les deux domaines requérant le plus grand effort dans ce sens sont l'éducation nationale et la radio-télévision. L'enseignement, en particulier, appelle une refonte progressive et complète, s'il veut tenir compte de la formation du caractère, de la sensibilité et de l'imagination, et non de la seule formation intellectuelle. Dans l'ordre des moyens, il est évident que l'Etat ne peut ni ne doit supporter la charge de tout faire, puisque la culture est la forme par excellence de l'initiative et de la responsabilité.

L'Etat ne saurait donc que stimuler, par des moyens adéquats mais divers, l'activité de groupe *germant* en milieu amorphe, y éveillant des besoins de culture, les coordonnant autour d'un centre plurifonctionnel. Beaucoup de tels groupes et de tels centres existent en puissance : il convient de les recenser dans la perspective d'une utilisation différenciée. L'initiative régionale, si elle se développe selon les lignes de force désirables, permettrait de rassembler des volontés que la centralisation maintenait inactives à la périphérie des décisions. Accroître les moyens d'une politique de la culture est d'abord éviter qu'ils ne se dispersent au gré d'administrations qui s'ignorent superbement. La culture pose des questions relevant aussi bien de l'Equipement que de l'Aménagement du territoire, de l'Education nationale aussi bien que de la Jeunesse et des sports. L'essentiel est que les administrations soient amenées ensemble, non pas à définir un espace abstrait pour l'homme de demain, mais à travailler à réaliser l'espace concret dont la conception reviendra à d'autres : artistes, architectes, urbanistes, psychologues, éducateurs.

III. PLACE DE L'ARTISTE DANS LA SOCIÉTÉ

1° « *Créativité* » *et création*

Le mot *artiste* apparaît ici pour la première fois dans ces réflexions sur la culture : on remarquera que je l'ai placé en tête de l'énumération de ceux dont le rôle est de concevoir. Pourquoi n'en ai-je pas parlé jusqu'ici, me gardant même d'employer le néologisme « créativité », par crainte de le voir confondu avec le mot *création* ? C'est qu'avoir des dispositions naturelles, de la sensibilité et de l'imagination est une chose ; vouer sa vie à la création d'une œuvre en est une autre, dont les non-créateurs ne mesurent guère la différence avec le talent diffus. Créer, c'est viser au-delà : donc souvent détruire pour susciter la forme ; ainsi l'action du créateur est-elle ambiguë, antisociale et sociale à la fois. Il est des périodes où l'art devient l'un des facteurs décisifs de la transformation sociale ; il peut être conçu comme tel par ceux-là mêmes qui travaillent à réformer la société du dedans, aux postes de responsabilité. Tout créateur est dans la société non pas seulement pour l'exprimer telle qu'elle se voit, mais pour la contraindre à sa propre mue ; il ne l'exprime que pour lui rendre intolérable un contentement d'elle-même qui la figerait sur soi. La place de l'artiste dans la société, laquelle tend à persévérer dans son être, est inconfortable et presque toujours contestée. Il se trouve souvent isolé, tenu pour quantité négligeable, obligé parfois de combattre l'étroite vision de l'homme que se font les garants de l'ordre. Pourtant, il est l'élément moteur de la société quant à l'esprit, quant au devenir de la forme. L'artiste est le critique le plus positif des valeurs immédiates de la société : son intuition peut éviter à des projets ouverts sur l'avenir de s'enfermer dans une immédiateté trompeuse qui les rendrait caducs à peine réalisés.

2° *L'artiste : un asocial par force*

Contrairement à l'inventeur ou à l'interprète de la mode, qui jouent un rôle important dans la manifestation du moment, et qui, à ce titre, contribuent à la vie changeante de la culture, l'artiste vrai est souvent en porte à faux sur son époque. Bien qu'il ait de celle-ci la plus profonde intuition, il est condamné par là même à la solitude, à l'incognito, à la difficulté d'être sur le plan pratique aussi bien que dans l'ordre de l'esprit. Claudel, en 1930, écrivait à René Lalou qui venait de lui consacrer un article dans *les Nouvelles littéraires :* « J'ai maintenant soixante-deux ans et il m'a fallu attendre jusqu'aujourd'hui pour que les gens s'aperçoivent que j'existe. » L'art d'une époque est comme un iceberg : celle-ci n'en voit que la plus petite partie qui a pour elle le plus d'éclat ; mais la plus grande partie, sur laquelle l'époque repose, demeure immergée dans l'incompréhension générale qui est l'inconscience où l'esprit d'une époque est de soi. L'époque n'a pas les critères suffisants pour se juger : s'il lui arrive de rendre partiellement justice à ses artistes, c'est presque toujours sur un malentendu. La disproportion entre nos énormes moyens de diffusion et notre absence de critères esthétiques (celle-ci ni plus ni moins grande qu'en d'autres temps), hypertrophie les conformismes du moment et renforce un grand nombre d'artistes dans une obscurité où ils trouvent de moins en moins de recours. Un découragement immense, bien qu'imperceptible par l'opinion habituée au narcissisme culturel que lui imposent les industriels et les mass media de la culture, stérilise et tue l'art de ces artistes que la terreur publicitaire, la disparition de toute critique, la logique implacable du marché qui n'accorde d'être qu'à ce qui se vend, réduisent à une abdication cruelle ou honteuse : où trouver la force d'affirmer et de vivre dans un monde hostile où l'on ne peut plus être pauvre sans être misérable et quasi asocial ? A moins d'être adopté par la mode — et celle-ci est une capricieuse mère adoptive — l'artiste qui veut aujourd'hui faire une œuvre prend un risque plus grand que jamais, dans des conditions de plus en plus précaires d'existence et presque nulles de survie. La civilisation des mass media le laissera complètement à l'écart de ses facilités, dans toute l'extension de ce mot.

3° *La pire des choses : l'art officiel*

Certes, il est courant de penser que les formes d'expression jugées anachroniques, parce qu'antérieures à l'ère des mass media et incapables de se « renouveler » par eux, sont appelées à céder la place à un art entièrement adapté aux moyens de sa civilisation.

De telles conjectures ne font qu'exprimer le narcissisme agressif de l'époque, stimulé par la flatterie publicitaire et la sociologie à bon marché, moyens qui influent non seulement sur l'esprit du public, mais sur la politique culturelle. La préférence exclusive donnée, par les responsables des Beaux-Arts par exemple, à une tendance de l'art correspondant à la mode esthétique du moment, crée évidemment un « art officiel », qu'il soit « pompier » ou qu'il se veuille anticonformiste. La faiblesse d'un « art officiel » est d'avoir toujours tort à la longue, dans une société où les mécènes privés sont de moins en moins nombreux pour équilibrer l'arbitraire des bureaux, que les collectivités locales subissent par contagion autant que par nécessité. Ainsi l'Etat, qui peut développer comme personne l'activité culturelle de groupe, ouvrant ainsi l'accès de la culture à un nombre croissant d'individus, n'a ni les moyens ni surtout les critères qu'il faudrait pour promouvoir d'une façon certaine l'excellence de la création. Au contraire, un excès de zèle organisateur de sa part, ou l'imposition autoritaire d'un choix, peuvent avoir pour effet de mystifier le goût du public au lieu de l'éduquer. Compte tenu du risque inhérent à l'acte créateur, l'Etat ne peut jamais aider les meilleurs à coup sûr : son soutien à la création doit donc tenir compte d'un éventail relativement ouvert de tendances, ce qui suppose que les bureaux — ou leurs chefs — ne décident pas souverainement, mais suivent l'avis d'un conseil composé d'artistes à la fois représentatifs et divers. Un éclectisme intelligent vaut mieux pour l'action de l'Etat, et sera plus bénéfique aux artistes, qu'un parti pris étroitement défini.

4° *Et la condition matérielle ?*

L'aide à la création artistique peut fort bien être organisée en un système assez souple. Mais elle posera des questions budgétaires que la politique actuelle du ministère des Finances rendra fort ardues : en cette matière comme en beaucoup d'autres (créations de fondations, legs de mécènes, commerces d'art, etc.), ce ministère semble se donner à plaisir un rôle stérilisant, sinon oppresseur. La nocivité d'une fiscalité et d'une réglementation aberrantes pour certaines catégories d'artistes (les écrivains en particulier), leur rend la vie deux fois plus pénible qu'aux autres travailleurs. Il y a là des inégalités, des absurdités si criantes, qu'un minimum de bon sens pourrait les supprimer. Pareilles réformes allégeraient l'existence de beaucoup d'artistes et la rendraient un peu moins précaire. Mais comme très peu d'artistes gagnent leur vie grâce à leur art dans un monde où « la vie d'artiste » est impossible, la plupart connaissent la servitude d'un métier, qui étouffe progressivement la vitalité créatrice ou requiert un effort croissant pour la conserver. Cette condition n'est pas nouvelle, mais sa lourdeur présente l'est. Une étude d'ensemble sur la condition matérielle et morale de l'artiste dans la société et l'économie contemporaines pourrait donner quelques éléments de réponse à la question : comment l'améliorer et la revaloriser ? Ainsi les limites de l'action possible de l'Etat seraient-elles mieux mises en lumière : dans la définition d'une politique de la culture, qui intégrerait l'action gouvernementale dans les divers domaines où elle s'exerce aujourd'hui en ordre dispersé, les possibilités qui s'offriraient aux artistes, leur rôle éventuel dans certains secteurs d'activité, la place même de la création dans la perspective sociale, apparaîtraient plus efficacement.

IV. ADMINISTRATION DES AFFAIRES CULTURELLES

1° *Insuffisance actuelle du ministère des Affaires culturelles*

Le domaine de la culture n'est pas, il s'en faut de beaucoup, l'apanage du ministère des Affaires culturelles. Mais celui-ci constitue dans l'Etat le seul instrument, si faible soit-il encore, d'une politique de la culture dont la cohérence s'impose sur tous les plans. En créant un tel ministère, en faisant de lui un ministère d'Etat, l'Etat semblait attester son intention de définir une telle politique : même si cette intention n'était pas totalement explicite, l'existence du ministère allait la rendre de plus en plus nécessaire ; l'organe ici créait la fonction.

L'existence du ministère des Affaires culturelles a conduit l'opinion à se poser le problème de la culture : l'existence de ce problème force aujourd'hui le gouvernement à une politique de la culture ; le processus ne peut être renversé.

Nul ne peut songer à démanteler ce ministère pour revenir à un secrétariat d'Etat aux Beaux-Arts, par exemple. Pourtant, le ministère ne remplit pas encore la fonction qui correspondrait aux besoins qu'il a fait naître : il lui reste à se créer. La présence à sa tête d'un homme illustre lui a donné un prestige exorbitant de sa fonction : quelques actions éclatantes, mais ne touchant pas le fond des choses, ne peuvent faire oublier une impuissance organique aggravée par la disparition de la Direction générale et par l'effritement interne au cours de ces derniers mois. La moitié des tâches du ministère, et de son budget, est consacrée à l'administration et à la conservation des biens. Le reste devrait l'être en principe à des incitations dans tous les domaines de la culture vivante : or le ministère n'en a pas les moyens et, faute de pouvoir mener à bien certaines tâches à l'exclusion de toutes autres, il ne peut que se disperser dans une poussière de bonnes intentions. De plus, il lui est difficile d'avoir une politique, non seulement faute de critères généraux dans le domaine strict qui est le sien, mais faute d'influence réelle au gouvernement ou sur les ministères et organismes touchant à la culture.

2° *Les tâches du ministre*

Le ministre des Affaires culturelles doit avoir d'autant plus d'autorité morale qu'il lui faut :

1. Défendre un budget très faible par rapport au budget global de la nation, et donc facile à négliger ou à amputer au cours des évaluations générales ;
2. Concevoir, proférer et donner à voir à la nation la politique de la culture dont l'idée doit progressivement imprégner l'opinion au même titre que celle de l'instruction publique ;
3. Conserver le trésor de la culture nationale et le rendre accessible, par des moyens dignes de lui, à l'attention et au respect des Français et des étrangers, car ces trésors sont des biens appartenant à l'esprit humain ;
4. Promouvoir des initiatives nationales ou régionales qui incorporent progressivement la vie culturelle dans l'activité d'ensemble de la société ;
5. Veiller à ce que ces initiatives restent constamment bien orientées par rapport à la vie de l'ensemble, et que les exécutants intellectuels ou matériels se conforment à certains critères d'action et à des règles de stricte économie ;
6. Rappeler constamment et avec force la nécessité d'une coordination de plus en plus étroite des actions culturelles menées par les différents ministères et organismes d'Etat, ainsi que par les collectivités locales ou régionales.

3° *Un conseil des Affaires culturelles ?*

L'énumération de ces tâches, qui n'est pas exhaustive, montre que le rôle essentiel du ministre est la réflexion permanente sur la culture, son développement et sa diffusion. On oserait presque dire que, parmi les instances morales du pays, il est l'une des plus hautes, puisqu'il rappelle à la société tout entière la nécessité de s'élever sur le plan de l'esprit. Jusqu'ici, les deux personnalités qui ont occupé ce poste étaient, avec de très grandes différences de conception, éminemment dignes de l'espèce de magistère culturel qu'elles avaient reçu.

Il se peut que des considérations politiques conduisent à nommer à leur place des hommes politiques respectables, mais moins sensibles à l'étendue et à la complexité spirituelle de leur tâche. C'est pourquoi il apparaît que la constitution d'un conseil des Affaires culturelles (ou du Développement culturel), composé de personnalités de premier plan vouées à la culture et ayant suffisamment le sens de l'Etat pour éclairer fermement celui-ci, permettrait le travail de réflexion, d'incitation et d'orientation préalable à toute politique de la culture. Cette politique échapperait ainsi, partiellement mais pour l'essentiel, à l'emprise directe des bureaux. Le conseil, tout en étant à la disposition du ministre, pourrait être l'organe de pensée rattaché au Fonds d'intervention culturelle, déjà créé mais non encore défini.

4° *Une administration différenciée*

Pour assister le ministre dans ses tâches et pour les exécuter, l'administration du ministère devrait être réorganisée, allégée, et conçue d'une manière nouvelle. Certes, pour toute une partie conservatoire (musées, monuments historiques, voire sous un angle théâtres nationaux), est-elle liée aux règles de fonctionnement, sinon de recrutement, qui régissent les autres administrations de l'Etat. Mais, dans les domaines qui demandent initiative et création, cette administration ne peut être comme les autres. D'une part, elle doit être composée de gens cultivés, c'est-à-dire avoir le sens de la matière subtile sur laquelle son pouvoir s'exerce ; il convient donc qu'à côté des fonctionnaires se trouvent des hommes connaissant de près la vie et le milieu des divers arts : ces collaborateurs pourraient être à temps plein ou servir de conseillers, être intégrés aux cadres ou sous contrat. De plus, la plupart devraient être mobiles pour innerver continuellement les provinces. Cette disposition organique permettrait de diminuer considérablement le nombre des administratifs purs. D'autre part — et ceci est corollaire des suggestions précédentes —, l'administration de la culture devrait en quelque sorte dépérir à mesure qu'elle réussirait dans sa tâche, c'est-à-dire diffuser largement l'initiative et se reposer de plus en plus sur des centres régionaux, voire sur des groupements sans caractère officiel.

Comme il est impossible de concevoir dans l'abstrait une refonte d'ensemble, un plan de réorganisation du ministère, conçu conjointement avec une définition prospective de son rôle et de sa philosophie, pourrait constituer la première étape de la politique de la culture qu'entendrait définir le gouvernement. Ainsi procéderait-on de manière pragmatique, par dégagement progressif d'une forme plutôt que par imposition d'une structure a priori. Cette règle doit être celle de toute l'action en vue d'une politique culturelle : en la matière, il s'agit de changer peu à peu des mentalités, ce qui ne peut se faire que par un lent et constant effort de persuasion.

V. DEUX ORGANES NOUVEAUX D'INTERVENTION

1° *La Fondation pour la création artistique*

Parmi les nouveaux organes de coordination suggérés par la commission pour les Affaires culturelles, se trouve une *Fondation pour la création artistique,* destinée à aider les créateurs et à susciter des œuvres nouvelles. En ce qui concerne les arts plastiques, le mécanisme de stimulation pourrait être dans les grandes lignes le suivant :

Le 1 % du coût des travaux de toute construction publique devant être affecté à une œuvre d'art (12 millions de francs pour les six premiers mois de 1970 rien que pour les constructions scolaires) constituerait une source de financement possible, centralisée et gérée par la Fondation. Ceci permettrait d'éviter le gaspillage d'argent à la base et d'imposer la présence des artistes à la conception même des ensembles envisagés. Il est inconcevable, en effet, que le peintre, le sculpteur, le fresquiste soient appelés seulement quand l'ensemble est fini et n'aient rien à dire sur l'espace à créer, dont leur œuvre devra faire partie et qu'elle définira au même titre que les autres formes. De plus, il est important que le contrôle des fonds soit fait dans l'intérêt des artistes, de façon à tirer le maximum des sommes affectées. En règle générale, le choix des artistes est laissé aux collectivités localement responsables, ce qui peut poser de sérieux problèmes esthétiques. Mais les problèmes ne seraient pas moindres si le ministère prétendait, de Paris, imposer son goût officiel. Ces difficultés pourraient trouver une solution dans la Fondation, à l'administration de laquelle les artistes prendraient part, afin que le choix pût être éclairé sans être imposé, l'initiative locale restant décisive.

Mais la Fondation pour la création artistique devrait aussi soutenir les artistes d'autres catégories. Elle le pourrait par des moyens à déterminer, analogues à ceux mis en œuvre en d'autres pays, et dont le financement proviendrait en partie de donations à buts spécifiques. La Fondation serait ainsi appelée à jouer sur le plan de l'art un rôle analogue à celui que la Fondation de France devrait jouer sur le plan scientifique.

Il va de soi qu'un tel financement par le mécénat privé suppose une politique de détaxation fiscale, dont jusqu'ici le ministère des Finances a constamment repoussé ou émasculé le principe. Pourtant, c'est le moyen le plus vigoureux, et quasi le seul, d'associer le capital privé à la politique de la culture. Une objection du ministère des Finances est que les facilités déjà données ne sont pas utilisées entièrement. La raison pourrait en être que ces facilités sont trop modestes pour créer une forte incitation. Auquel cas certains moyens pourraient être employés, comme celui d'un prélèvement sur les budgets de publicité pour amorcer l'intérêt des grandes firmes. En tout état de cause, la Fondation pour la création artistique ne vaut d'être créée que si elle peut fonctionner : ici, l'exemple de la Fondation de France est encore peu probant. Mais en d'autres pays, une politique d'incitation à la création a fait ses preuves.

2° *Le Fonds d'intervention culturelle*

Le F.I.C., dont la commission pour les Affaires culturelles avait marqué l'importance pour la coordination des efforts culturels bien avant que la création de cet organisme fût décidée en Conseil des ministres, pourra former le lien entre le ministère des Affaires culturelles et les autres organismes officiels, en premier lieu le ministère de l'Education nationale et l'O.R.T.F. Pour qu'il joue ce rôle, il convient de le doter de l'autorité suffisante en le plaçant si possible directement sous le contrôle du Premier ministre, avec un comité interministériel, une administration relevant des Affaires culturelles et un secrétariat général.

Le rôle du F.I.C. sera délicat, car les organismes autres que les Affaires culturelles, et dont l'action s'exerce elle aussi dans le domaine de la culture, ont une puissance et une cohérence que les Affaires culturelles ne possèdent pas, et constituent même parfois des forteresses où règne un esprit de corps peu enclin à des activités concertées. Or, c'est précisément ces actions qu'il s'agit de promouvoir à l'initiative des Affaires culturelles. Aussi, comme il est dit plus haut, paraît-il souhaitable de ne pas se contenter d'une administration subalterne, mais de former un conseil du Développement culturel, dont le rôle serait de définir la politique culturelle dans les divers domaines où celle-ci doit s'exercer. Il s'agirait surtout de créer et de propager un état d'esprit qui rende possible et naturelle une collaboration interministérielle difficile à réaliser dans l'état présent des mentalités. Cette collaboration sera sans doute plus aisée à promouvoir avec le progrès d'une régionalisation qui fera surgir des modes de participation nouvelle à l'échelle des intérêts communs régionaux. De toute manière, le rôle du F.I.C. ne pourra que grandir à mesure que se dégagera l'ampleur des tâches d'ensemble.

Indépendamment de son rôle de coordinateur, le F.I.C. sera l'instrument idéal pour le lancement et le contrôle d'expériences à valeur exemplaire dans les domaines où des changements techniques doivent être expérimentés. Par exemple, un effort de popularisation, tant à l'école que dans le public, pourrait être fait pour sensibiliser à la poésie le plus grand nombre possible de lecteurs et d'auditeurs éventuels. Préparation du terrain, examen des formes d'enseignement et de diffusion, incitation du marché du livre seraient l'objet d'une étude pouvant servir de norme ou de stimulant. Autre exemple : l'introduction de la vidéo-cassette va sans doute bouleverser à court terme toute l'industrie des mass media, et conséquemment introduire dans la culture des masses un facteur qui peut être bénéfique ou au contraire accélérer la massification et la décréation. Un Etat soucieux de politique culturelle ne peut rester indifférent au danger d'abrutissement que représenterait un progrès technique sans contrôle au service du pur profit. Le F.I.C. jouerait dans une certaine mesure un rôle régulateur, s'il avait la possibilité de passer contrat avec de grandes firmes dans l'industrie audio-visuelle, pour orienter tout ou partie de leur programme culturel.

Ces exemples montrent que le F.I.C. sera de plus en plus appelé à modifier les formes présentes de la diffusion culturelle, pour les maintenir adaptées à l'évolution rapide des techniques et du milieu, sans perdre de vue la substance permanente de la culture. Un tel organisme peut accomplir une fonction nouvelle, originale, telle que l'exige un pragmatisme audacieux, dans l'invention progressive des moyens qui permettront de passer de l'actuelle indifférence à un intérêt croissant et différencié pour le monde complexe de la culture.

VI. CHAMPS DE FORCE DE L'ACTION CULTURELLE

La culture fait intrinsèquement partie de l'espace social qu'elle *humanise* en le pénétrant et en le modelant. Aucune considération sur le milieu social ou physique dans lequel évoluent les Français ne peut en faire abstraction. Qu'il s'agisse de l'enseignement ou de l'urbanisme, de la radio-télévision ou de l'information vers l'étranger, oublier la place de la culture serait commettre un contresens préjudiciable à la saine évolution de la société. Le ministère de l'Education nationale, le secrétariat à la Jeunesse et aux sports, les ministères de l'Equipement, des Affaires sociales, des Affaires étrangères, enfin l'O.R.T.F., ont tous leur part dans la politique de la culture ; il importe qu'ils en prennent conscience, non point en ordre dispersé, mais de manière convergente. Ce qui suit n'est qu'une indication des éléments de cette convergence à venir dans les administrations-clés.

1° *Ministère de l'Education nationale*

La formation dispensée par ce ministère prépare le terrain pour la curiosité de l'adulte à l'égard de la culture. Comme celle-ci s'adresse à l'homme total dont elle est la forme manifestée, la sensibilité et l'imagination y sont satisfaites autant que l'intelligence abstraite, dans une mutuelle harmonie.

Il semble que les réformes pédagogiques envisagées, au moins dans l'enseignement élémentaire, amorcent une orientation prudente dans le sens d'une revalorisation de l'imaginaire et du sensible. Cette orientation entraînera un changement de mentalité, une modification considérable du rapport avec l'élève, une stimulation de ses dispositions naturelles dans une atmosphère de plus grande liberté. On peut prévoir qu'elle suscitera les plus vives résistances chez tous ceux qui sous-estiment chez l'enfant le pouvoir créateur et l'appétit de comprendre, auxquels ils opposent une discipline intellectuelle qui a fait ses preuves dans le passé, mais qui semble moins probante aujourd'hui. La vraie question est de concilier spontanéité et discipline, c'est-à-dire de créer une nouvelle forme d'enseignement, donc un nouveau milieu global. Cela demandera des maîtres autrement formés, psychologues et pédagogues à la fois, sensibles aux valeurs de la culture ; il convient de ne pas minimiser le courant déjà très fort, et lui-même spontané, qui se dessine chez les jeunes enseignants et qu'il serait souhaitable de leur voir préciser en les associant davantage aux réformes en cours. A l'évidence, l'évolution de l'enseignement primaire entraînera celle des enseignements secondaire et supérieur, où la place de la « créativité », voire de la création personnelle, deviendra de plus en plus importante.

L'enseignement traditionnel faisait peu de place ou n'en faisait aucune aux formes d'art non littéraires : et, même en littérature, aucune réflexion pédagogique n'avait été entreprise sur le mode spécifique de culture et de connaissance imaginaire qu'est la poésie. Le poétique est en fait un véritable milieu de pensée, particulièrement favorable à de bons rapports pédagogiques pour un maître qui en mesure les possibilités dans son enseignement. C'est à partir de cet état poétique indifférencié (où s'éveille chez l'enfant le goût de faire qui lui donne prise sur sa propre sensibilité), que l'on peut procéder à la différenciation des domaines imaginaires sans perdre de vue l'état commun dont ils sont issus et qu'ils manifestent. Les enseignements artistiques ont donc leur place très tôt dans la vie scolaire et correspondent à l'apprentissage que fait l'enfant du monde où il vit : l'enfant apprend à sentir et à voir au-delà des apparences immédiates, à imaginer, c'est-à-dire à enrichir le monde des images qu'il sait en tirer.

Dans cette formation, le geste a une valeur intégratrice :

non seulement l'enfant doit apprendre son corps par la gymnastique, mais il connaîtra la joie d'en découvrir la plastique, d'en tirer toutes les possibilités de beauté, de se concevoir et de concevoir autrui comme forme. Cette expérience ne saurait être interrompue par le passage au secondaire : l'idéal serait qu'elle s'affermisse pendant toute la durée de la formation, car c'est de sa persistance que dépendent la permanence de la culture chez l'adulte et le sens de la responsabilité de celui-ci à l'égard de celle-là.

En fait, l'établissement scolaire devrait être un lieu de culture. Il l'est ailleurs, aux Etats-Unis par exemple, où les enseignements artistiques sont intégrés et où l'école s'ouvre largement vers l'extérieur. Place est faite aux artistes des différentes disciplines comme professeurs au même titre que les universitaires : leur qualification reconnue y suffit. Un peintre, un poète, un metteur en scène, un cinéaste peuvent soit enseigner la matière de leur spécialité, soit diriger un séminaire d'activité créatrice, soit même être simplement « en résidence », à la disposition de qui veut les consulter. Ce n'est là qu'un des exemples du caractère ouvert de la société américaine qui, malgré ses graves défauts, est plus proche que la nôtre de l'intégration sociale et de certaines formes de communauté. L'exemple du centre éducatif et socio-culturel de Yerres, en cours de réalisation, et le projet d'une trentaine de centres analogues dans les nouvelles concentrations urbaines, montrent ce que pourrait être non point une politique de ghettos culturels (ce que furent jusqu'à un certain point les maisons de la culture), mais une politique de rassemblement, au cœur de la cité, des diverses activités par lesquelles peut s'exprimer la vie du groupe dans la liberté des choix personnels. Ici l'école est, de toutes parts, entourée par le milieu social avec lequel elle vit en symbiose. La culture n'est pas seulement matière à programmes, elle est le bien commun que les adultes et les jeunes partagent et enrichissent de leur solidarité.

2° *Ministère de l'Equipement*

Un espace inhumain étouffe toute possibilité de culture. Il faut constater que jusqu'ici presque rien n'a été entrepris pour humaniser les espaces où, de plus en plus, les hommes sont concentrés. L'Aménagement du territoire a pour fonction de rassembler les moyens d'équipement général (eau, électricité, transport, facilités de travail) des concentrations urbaines nouvelles. Ce sont là des conditions indispensables à la subsistance matérielle, non des conditions psychologiques et spirituelles de vie. Or, la conurbation accélérée, sans souci des besoins élémentaires du psychisme individuel, a fortiori des besoins intellectuels et spirituels de la satisfaction desquels dépend l'équilibre de la personne, aboutit à un univers concentrationnaire, ni plus ni moins, avec les maladies de l'âme qui se développent en lui. « Le nombre très grand des inadaptés, qui souffrent parce qu'ils ne savent pas parler, montre que cette existence urbaine est trop lourde pour la plupart de nous », dit justement Brice Parain. Il existe bien un groupe de travail des équipements collectifs intégrés, chargé d'examiner comment donner aux villes nouvelles un cœur, c'est-à-dire un lieu d'animation et de rayonnement dans tous les ordres de l'activité. Il est incroyable mais vrai que ce groupe ne trouve personne en face de lui à qui s'adresser, car le problème ne s'est jamais posé globalement au niveau gouvernemental. Nul organisme n'est responsable de la structure humaine des villes, dans un pays où d'ici dix ans 60 % de la population résideront dans les agglomérations géantes en train de se former. Qui définit les critères d'un espace vraiment humain ? Qui fait appliquer ces critères s'ils existent ? Personne.

Cette aberration est non seulement intolérable, mais catastrophique à une échéance très rapprochée. La concentration urbaine anarchique est la *pire contrainte* qui puisse être exercée, en dehors des sévices directs, sur des êtres prétendus libres. Elle ne peut qu'aboutir à des éclatements effroyables, même si leur forme ne se laisse pas actuellement prévoir. Le ministère de l'Equipement devrait être doté d'un organisme de réflexion à long terme, travaillant en liaison avec le Fonds d'intervention culturelle, dont l'importance apparaît ici une fois de plus.

Supposons, par exemple, qu'une commune nouvelle soit en train de se créer. Pour lui donner un cœur, il faut disposer de terrains en son centre et les consacrer à des établissements divers, dont la rentabilité ne sera pas immédiate. Le F.I.C. pourrait étudier la question soulevée par la création éventuelle d'un cœur urbain, et persuader ainsi les promoteurs de tous ordres que de ce cœur dépend l'équilibre futur de la ville, la rentabilité humaine à long terme ne coïncidant pas avec le profit directement estimable, mais s'exprimant par une formule traduisible aussi en termes de profit, bien qu'elle le transcende : donner vie à un cœur pour que les hommes ensemble puissent vivre heureux.

Il va de soi qu'un équipement socio-culturel complexe est inconcevable sans de telles études et une volonté systématique de centrer les villes de demain. Les travaux du F.I.C. — qui, en principe, ne doivent pas être des actions répétitives — établiraient des normes générales destinées, avec les modifications de lieux ou de circonstances, à servir de modèle aux créations urbaines qui vont se multiplier.

3° *O.R.T.F.*

L'influence de l'O.R.T.F. sur la psychologie et la mentalité des Français est évidente : cette influence peut être la meilleure ou la pire, suivant la nature de la présence de la radiotélévision dans chaque foyer. Or, de toutes les féodalités qui se constituent au sein d'un grand système étatique, l'Office est peut-être la plus réelle et la moins bien définie. A l'intérieur de ce grand fief qu'aucune politique d'ensemble ne paraît régir, les plus entreprenants se créent des baronnies presque indépendantes. Une lutte d'influences se livre, tempérée par un désir obscur et général d'immobilisme. Vue du dehors, la grande toupie semble tourner toute seule, par une combinaison subtile d'inertie et d'anarchie. Au surplus, l'appareil administratif de l'Office, incroyablement lourd pour une entreprise qui devrait être dynamique par essence et par destination, absorbe une grande partie des énergies et des ressources.

Cela explique l'absence d'inventaire méthodique des activités, l'indifférence à l'égard d'une utilisation mieux coordonnée des compétences réelles, le laisser-aller du langage, la légèreté ou la prétention avec lesquelles sont abordées les questions de la culture. Or, l'Office vaut bien mieux que cette image. Un exemple : il serait concevable que certains des auteurs travaillant pour l'Office prennent l'initiative de se réunir pour définir ensemble les moyens d'un meilleur rendement culturel. On serait alors surpris du nombre et de la qualité de ces hommes, souvent mal employés, quand ils ne sont pas rejetés dans l'ombre par des médiocres satisfaits. Il n'est que de penser à l'indigence scandaleuse des émissions poétiques à la télévision — la poésie étant celui des arts majeurs que la télévision pourrait le mieux servir auprès d'un public qui l'ignore — pour mesurer à quel point l'O.R.T.F. manque d'une idée de la culture correspondant à ses moyens. Quand l'Office prendra-t-il conscience, à partir de la puissance de ses moyens mêmes, de ce que pourrait être son apport légitime à l'enrichissement général des esprits ? Il conviendrait pour cela qu'on cesse d'y parler statistiquement, quantitativement, comme si le pourcentage d'écoute était le véritable critère de valeur. Il est aussi important de satisfaire 10 % de téléspectateurs par une émission de qualité que 90 % par une émission fabriquée tout exprès pour assurer ce maximum d'écoute. Le véritable objectif serait de tripler en dix ans le nombre des premiers, ce qui peut-être diminuerait le nombre des seconds. Si, au contraire, l'Office admet ou même postule que le public est inéducable dans l'ensemble, il s'attaque ainsi à l'idée de la culture, et peut devenir, par indifférence ou par système, le pire foyer d'abaissement mental.

Rien ne peut être entrepris pour changer progressivement la mentalité publique et l'ouvrir aux réalités de la culture et de l'esprit, sans l'instrument incomparable — et presque inutilisé à cet effet — qu'est la radio-télévision. C'est pourquoi la commission avait émis le vœu que le ministère des Affaires culturelles exerçât une tutelle sur l'Office dans le vaste domaine de la culture, où l'Office touche littéralement à tout sans discernement. Une stimulation continue devrait venir du dehors sous le regard du ministère des Affaires culturelles. Car la définition des finalités impératives ne peut se faire en vase clos, dans l'atmosphère de l'Office : c'est au ministère des Affaires culturelles et au conseil qu'il se donnera de fixer la nature de la tutelle et les moyens de son efficacité.

En bref, l'Office pourrait être l'instrument de la formation permanente nécessaire à la plupart des hommes pour ne pas perdre de vue leur responsabilité dans le projet humain. Sur un plan précis, celui du rapport avec le milieu, l'Office pourrait montrer comment constituer et animer les « cœurs urbains » qui seront demain nécessaires ; au lieu de renfoncer les êtres dans leur solitude, la radio et la télévision pourraient aussi rétablir les rapports entre l'homme et la nature perturbés par la vie moderne ; enseigner, avec les lois de l'écologie, un respect actif pour les êtres vivants, les paysages, les grandes forces naturelles.

La propagande en faveur de la préservation de la nature comme du patrimoine monumental, en faveur aussi de la forme des villes, est une fonction que l'Office est mieux outillé qu'aucun organisme pour remplir. Et c'est au F.I.C., tout naturellement, que reviendrait la détermination et l'expérimentation des meilleurs moyens à cet effet.

Peut-être appartiendrait-il au conseil des Affaires culturelles, en liaison avec un comité culturel de la radio-télévision composé d'auteurs et de réalisateurs incontestés, d'esquisser les formes de la politique de la culture à l'O.R.T.F. et d'examiner les obstacles qu'elle rencontre encore. Seule d'ailleurs une persuasion infatigable au service d'un projet globalement défini amènera le changement des mentalités, et avec lui le changement des méthodes.

4° *Ministère des Affaires étrangères*

L'ancienne direction générale des Affaires culturelles y est devenue direction générale des Affaires culturelles, scientifiques et techniques, désignation qui élargit à juste titre l'étendue du champ culturel. Cependant, l'effort nécessaire et parfois difficile de défendre le rang de la France au point de vue scientifique et technique, et d'assurer l'usage du français à parité avec l'anglais en premier lieu, doit s'accorder à un autre effort : celui de conserver à notre pays son rôle éminent dans l'univers des idées et des formes, c'est-à-dire de la culture au sens traditionnel. Ne pas capituler devant l'importance croissante de l'anglais ne signifie pas nécessairement abandonner cette culture à elle-même en faveur des seules priorités techniques. Que l'anglais devienne la langue internationale des sciences et des techniques ne signifie d'ailleurs pas qu'il devient celle des idées qui meuvent le monde. Sur ce plan, le français garde encore une partie de son influence et peut fortifier celle-ci, à condition qu'il soit défendu non seulement comme instrument d'usage, mais aussi comme forme de pensée dans les œuvres de l'esprit. Il est donc souhaitable que la politique « extérieure » de la culture française soit définie d'un commun accord par les deux ministères intéressés.

L'image que la France donnera d'elle-même au monde, et en particulier aux peuples francophones qui participent étroitement de sa culture, sera celle qui se dégagera du projet culturel qu'il lui incombe de définir plus que jamais, maintenant qu'elle ne peut compter que sur sa vertu spirituelle pour faire rayonner les valeurs dont elle tient son prestige le moins discuté. Comme l'a dit le général de Gaulle : « La France est dans le monde pour promouvoir et pour servir ses semblables. »

VII. POSTULATIONS PEUT-ÊTRE ACCEPTABLES

1. La politique de la culture, pour passer dans les mœurs, demande au moins une génération. Son projet, tout ambitieux qu'il doit être, sera considéré comme un germe, dont le développement provoquera les modifications sociales et mentales qui lui sont nécessaires pour prendre corps. Par habitude théoricienne, les Français veulent qu'un projet annoncé aujourd'hui soit entièrement réalisé demain, et, s'il ne l'est pas, se plaignent que l'Etat n'a pas tenu ses promesses ; cette habitude mène immanquablement à l'impasse des surenchères budgétaires. Il ne s'agit pas de casser d'un coup — ce qui serait impossible — un mécanisme aussi invétéré : mais bien plutôt de le rendre peu à peu caduc par un pragmatisme inlassable et réalisateur. C'est pourquoi l'éducation, l'O.R.T.F., formatrices d'un milieu psychique et mental nouveau, ont une telle importance dans la perspective historique actuelle.

2. La politique de la culture doit être globale et liée à une conception d'ensemble de la société, dont elle définit la finalité véritable : l'accession de tous à la plénitude de la dignité humaine qui ne cesse de se conquérir et dont la perspective s'ouvre sans fin. Cette politique doit être proférée, réitérée, demeurer constamment présente à l'esprit de ceux qui gouvernent, de manière qu'elle devienne, en raison même de l'importance que les gouvernants y attachent, le désir de plus en plus conscient du grand nombre et la forme nouvelle d'un civisme dont le manque actuel épuise la vitalité du pays.

3. Cette politique repose non pas sur le seul effort de l'Etat, mais sur la responsabilité des individus et des groupes

locaux, régionaux ou nationaux. Les cultures régionales, dont la vitalité présente est une véritable renaissance qu'il serait dangereux d'ignorer, sont parties prenantes dans le progrès de l'action culturelle. L'Etat ne peut avoir pour rôle que d'inciter à des actions qu'il permet d'amorcer par des formes diverses d'intervention, mais qu'il appartiendra aux collectivités de développer, soit en collaboration avec lui, soit par leurs moyens propres. Une culture dont le maintien et la diffusion seraient à la charge de l'Etat seul risquerait de devenir une culture étatique, ce qui est le contraire de la fin poursuivie.

4. Le ministère des Affaires culturelles ne peut réaliser progressivement ce programme ambitieux et complexe que s'il est entièrement modelé en vue d'une action dont la diversité même implique des compétences considérables chez les exécutants.

Ceux-ci pourraient être choisis, non point tous pour leurs pures qualités administratives, mais certains pour leur pouvoir de conception. Le ministre devrait disposer d'une autorité indiscutée au sein du gouvernement et de l'opinion, pour être en mesure de faire correspondre ses projets et son budget, ses paroles et ses actes, ses interventions et la suite qu'elles recevraient.

Le Fonds d'intervention culturelle, placé sous son autorité et celle du Premier ministre, et recevant son impulsion d'un conseil des Affaires culturelles recommandant les orientations à prendre et les actions à mener, serait le moyen qui permettrait au ministère de concevoir la politique d'ensemble et d'agir de façon cohérente sur la pluralité des secteurs dans lesquels elle doit s'exercer. Aussi la tâche la plus urgente dans la perspective de la politique culturelle à lancer est-elle d'inventorier l'état actuel du ministère, afin de réinventer celui-ci. Une tête ne lui suffit pas, il lui faut une âme, c'est-à-dire une vision.

Octobre 1970.

TABLE

IMP. SÉVIN, DOULLENS (SOMME).
D. L. 4e TR. 1971. No 2 899 . 3 (2 784).